P9-BIE-287

森林报

彩图版

森林报

秋

[苏] 维塔里·比安基 著
沈念驹 姚锦镕 译

中国華僑出版社

图书在版编目(CIP)数据

森林报.秋/（苏）维塔里·比安基著；沈念驹，姚锦镕译.
—北京：中国华侨出版社，2010.12
ISBN 978-7-5113-1034-7

Ⅰ.①森… Ⅱ.①维… ②沈… ③姚… Ⅲ.①森林－儿童读物
Ⅳ.①S7-49

中国版本图书馆CIP数据核字（2010）第247208号

森林报·秋

作　　者：（苏）维塔里·比安基
译　　者：沈念驹　姚锦镕
责任编辑：若　兰
封面设计：王明贵
文字编辑：张红卫
美术编辑：吴秀侠
插图绘制：骆春江　王　晔
经　　销：新华书店
开　　本：720mm × 1010mm　1/16　印张：8　字数：120千字
印　　刷：三河市华新科达彩色印刷有限公司
版　　次：2011年2月第1版　2011年2月第1次印刷
书　　号：ISBN 978-7-5113-1034-7
定　　价：14.00元

中国华侨出版社　北京市朝阳区静安里26号通成达大厦三层　邮编：100028
法律顾问：陈鹰律师事务所
编 辑 部：（010）64443056　64443979
发 行 部：（010）58815874　传真：（010）58815857
网　　址：www.oveaschin.com
E-mail：oveaschin@sina.com

目录

NO.7 候鸟辞乡月（秋一月）

NO.8 仓满粮足月（秋二月）

NO.9 冬季客至月（秋三月）

森林报

No.7

候鸟辞乡月

（秋一月）

第七期导读

一年——分12个月谱写的太阳诗章

九月里愁云惨淡，生灵哀号。天空中开始越来越多地出现阴霾，伴随着呼啸的秋风。秋季的第一个月已来到跟前。

秋季和春季一样，有着自己的工作进程，只不过一切程序都反过来了。秋临大地是在空中初露端倪的。枝头的树叶开始渐渐地变黄、变红、变褐色。树叶一旦缺少阳光，便开始枯萎，很快就失去了碧绿的色彩。枝头长着叶柄的地方开始出现枯萎的痕迹。即使在完全静止无风的日子里，也会蓦然有树叶坠落：这儿落下一片发黄的桦叶，那儿落下一片发红的山杨叶，轻盈地在空中摇摇坠下，在地面上无声无息地滑过。

你清晨醒来的时候会首次发现草上的雾凇，你得在自己的日记里记下："秋季开始了。"从这一天起（确切地说是从这天夜里起，因为初寒往往总在凌晨降临），树叶会越来越频繁地从枝头脱落，直至寒风骤起，刮尽残叶，脱去森林艳丽的夏装。

雨燕不见了踪影。燕子和在我们这儿度夏的其他候鸟都群集在一起，显然是要趁着夜色踏上遥遥征途。空中变得冷冷清清。水也越来越凉，再也激不起人们游泳的兴致……

突然间，仿佛在记忆犹新的美丽夏日似的，天气回暖了：白天变得和煦、明媚、安宁。宁谧的空中飞舞着一条条银光闪闪的细长的蛛丝，田野上新鲜的嫩绿庄稼泛出了喜悦的光泽。

"遇上小阳春了。"村里人怀着浓浓爱意望着生气勃勃的秋苗，笑盈盈地说道。

林中万物正在为度过漫长的寒冬作准备，一切未来的生命都稳稳当当

地躲藏起来，暖暖和和地包裹起来，与其有关的一切操劳在来年春回之前都已停止。

只有母兔不消停，依然不甘心夏季就这么完了——它们又生下了小兔崽！生下的是秋兔。林子里长出了伞柄细细的蜜环菌。夏季结束了。

候鸟辞乡月已然来临。

如同在春季一样，来自林区的电讯又纷纷传到本报编辑部：每时每刻都有新闻，每日每夜都有事件报道。又如在候鸟返乡月一样，鸟类开始长途跋涉，这回是由北向南。

于是秋季登场了。

首次林中来电

穿着靓丽多彩衣装的所有鸣禽都消失了。它们是怎么踏上征程的，我们没有看见，因为它们是夜间飞走的。

许多鸟宁愿在夜间飞行，因为这样比较安全。在黑暗中，那些从林子里出来，在它们飞经的路上守候的隼、鹞鹰和其他猛禽不会去惊扰它们。而候鸟在黑夜里却能找到通往南方的路线。

在遥遥海途上出现了成群结队的水鸟：野鸭、潜鸭、大雁、鹬。有些长翅膀的旅行者会在春季歇过脚的地方小作勾留。

森林里的树叶正在变黄。一只雌兔又生下了6只小兔崽。这是它今年生下的最后一胎小兔崽——秋兔。

在海湾长满水藻的岸滩上，不知是谁留下了一个个十字形的印记。整个海滩上布满一个个小十字和小点儿。我们在海湾的岸上搭了一个小窝棚，想一窥究竟，是谁这么淘气。

告别的歌声

白桦树上的树叶已明显地稀疏起来。早已被窝主抛弃的椋鸟窝孤独地在光秃秃的枝干上摇晃着。怎么回事——突然有两只椋鸟飞了过来。雌鸟溜进了窝里，在窝里煞有介事地忙活着。雄鸟停在一根树枝上，四下里东张西望，接着唱起了歌。不过它轻轻地唱着，似乎是在自娱自乐。

终于它唱完了。雌鸟飞出了窝，它得赶紧回到自己的群体中去。雄鸟也跟着它飞走了。该离开了，该离开了，明天，它们将踏上万里征途。

它们是来和夏天在此养育儿女的小屋告别的。

它们不会忘记这间小屋，到来年春天还会回来住的。

摘自少年自然界研究者的日记：

晶莹清澈的早晨

9月15日。一个晴朗和煦的秋日。和往常一样，我一大早就跑进了花园。我出门一看，天空高远深邃，清澈明净，空气中略带寒意，在树木、灌木丛和草丛之间挂满了亮晶晶的蜘蛛网。这些由极细的蛛丝织成的网上缀满了细碎的玻璃状露珠。每一张网的中央蹲着一只蜘蛛。

有一只蜘蛛把自己银光闪闪的网张在了两棵小云杉树的枝叶之间。由于网上缀满了冰凉的露珠，它看上去仿佛是由水晶织成的，似乎你只要轻轻一碰，它就会叮叮当当响起来。那只蜘蛛自己则蜷缩成一个小球，屏息凝神，纹丝不动。还没有苍蝇在这里飞来飞去，所以它正在睡觉。或许它真的僵住了，快冻死了？我用小拇指小心翼翼地碰了它一下。蜘蛛毫无反应，仿佛一颗没有生命的小石子，掉落到地上。但是在地面上，草丛下，我看到它立刻跳起来站住了，跑着躲了起来。善于伪装的小东西！

令人感兴趣的是：它会不会回到自己的网上去？它还会找到这张网吗？或许它会着手重新织一张网？要知道多少劳动白费了，它又得前前后后来回奔跑，把接头儿固定住，再织出一个个的圈。这里面有多少技巧！

一颗露珠在细细的草叶尖儿上瑟瑟颤动，犹如长长睫毛上的一滴眼泪，

折射出一个个闪亮的光点。一种愉悦之情也在这光点中油然而生。

最后的洋甘菊花在路边依然低垂着由花瓣组成的白色衣裙，正在等待太阳出来给它们取暖。

在微带寒意、清洁明净又似乎松脆易碎的空气里，万物是那么赏心悦目，盛装浓抹，充满节日气氛：无论是多彩的树叶，还是由于露珠和蛛网而银光闪闪的草丛，还有那蓝蓝的溪流，那样的蓝色在夏季是永远看不到的。

我能发现的最难看的东西，是湿漉漉地粘在一起、一半已经破残的蒲公英花，还有毛茸茸、灰不溜丢的夜蛾子，它的小脑袋有点像鸟喙，茸毛剥落得光溜溜的，都能见到肉了。而在夏天蒲公英花是多么丰满，头上张着数以千计的小降落伞。夜蛾也是毛茸茸的，小脑袋既平整又干燥！

我怜悯它们，让夜蛾停在蒲公英花上，久久地把它们捧在掌心里，凑到已经升起在森林上空的太阳下。于是它们俩——冷冰冰、湿漉漉、奄奄一息的花朵和蛾子，稍稍恢复了一点生气：蒲公英头上粘在一起的灰色小伞晒干后变白、变轻，挺了起来；夜蛾的翅膀从内部燃起了生命之火，变得毛茸茸的，呈现出了青烟色。可怜、难看而残疾的小东西也变好看了。

森林附近的某个地方，一只黑琴鸡开始压低了声音喃喃自语起来。

我向一丛灌木走去，想从树丛后面悄悄靠近它，看看它在秋季是怎么悄悄地自言自语和啾啾啼叫的，因为我想起了春季里它们的表演。

我刚走到灌木丛前，这个黑不溜秋的家伙马上就“吠尔”一声飞走了，几乎是从我脚底下飞出来的，而且声音大得很，我甚至打了个战。

原来它就停在这儿，我的身边。而我却觉得那声音很远。

这时远方号角般的鹤唳声传到了我的耳边：人字形的鹤阵正从森林上空飞过。它们正远离我们而去……

■ 驻林地记者　维丽卡

林间纪事

泅水远行

草甸上濒死的野草低低地垂着头。

著名的竞走健将——长脚秧鸡已经踏上遥远的旅程。

在万里海途上出现了潜鸭和潜鸟[1]。它们潜入水下捕食鱼类，很少振翅飞翔，而是一路游啊游，游过一个个湖泊和水湾。

它们甚至不需要像鸭子那样为了使自己的身体一下子沉入水下，先飞离水面，提升一点高度。它们的身体结构使它们只要把头一低，用力划动带蹼的脚掌，就能潜入水下深处了。

在水下，潜鸟和潜鸭觉得自已就像在家里一样。在那里任何一只猛禽都伤害不到它们。它们游泳的速度甚至能赶上鱼类。

但说到飞行，它们要远远落后于疾飞的猛禽。它们干吗要让自己冒险去飞行呢？只要可以，它们就泅水走完自己的漫漫旅途。

林中巨兽的格斗

晚霞升起的时候，森林里传出了低沉而短促的吼声。从密林里走出两头林中巨兽——硕大无朋、头上长角的公驼鹿。它们用仿佛发自内脏的低吼向对手挑战。

斗士们在林间空地上会合。它们用蹄子刨地，虎视眈眈地晃动着沉重

① 潜鸭属鸭科，有15个品种。潜鸟也是水禽，但身体要大得多，长达1米，有红喉、黑喉、白嘴三个品种。

的双角。它们两眼充血，低下长角的头颅，向对方冲了过去，两对角相互碰撞、钩挂，发出阵阵脆响和隆隆的撞击声。它们把巨大身躯的全部重量都压过去，恨不得扭断对手的脖子。

一个回合下来，它们彼此退开，又重新投入了战斗，曲颈把头颅低低地垂向地面，前蹄凌空立起来，用双角对撞着。

森林里一直回响着沉重的双角敲击和碰撞的声音。难怪公驼鹿被称为枝形角兽，因为它的角既宽又大，样子像树杈。

常会有战败的对手从战场仓皇溃逃。也常会有一方被对手的双角致命一击，折断了脖子而倒地，鲜血汩汩直流。胜利者会用尖利的蹄子将对手踩踏致死。

于是，强劲的吼声再度响彻森林。枝形角兽吹响了胜利的号角。

在密林深处，一只不长角的母驼鹿正在等它。胜利者成了这块地盘上的一方之主。

它不允许任何一头别的公驼鹿进入它的领地。连年轻的公驼鹿它也不能容忍，一旦看见，就会马上将它们赶走。

周围很远的地方都响彻它那威严低沉的吼声。

最后的浆果

沼泽地上的红莓苔子成熟了。它长在一个个泥炭土墩上，浆果直接在苔藓上搁着。这些浆果老远就能看见，可是却看不出它长在什么上面。你

只要就近观察一番，就会发现在苔藓垫子上伸展着像线一样芋细的茎。茎的两边长着一些小而硬得发亮的叶子。

这就是一棵完整的半灌木[①]。

■ H·帕甫洛娃

原路返回

每个白天，每个夜晚，都有迁飞的旅客上路。它们从容不迫、不露声色，途中作长时间的停留，这和春季时不一样。看来它们并不愿意辞别故乡。

返程迁徙的次序是这样的：光鲜多彩的鸟儿首先起飞，最后上路的是春季最早飞来的鸟儿：苍头燕雀、云雀、海鸥。许多鸟都是年轻的飞在前面。苍头燕雀是雌鸟比雄鸟先飞走。谁体力好、忍耐力强，谁耽搁的时间越长。

大部分候鸟直接飞往南方——到法国、意大利、西班牙、地中海、非洲。有一些飞往东方：经过乌拉尔、西伯利亚，到达印度，甚至美洲。数千千米的路程在它们的脚下一闪而过。

等待助手

乔木、灌木和草本植物都在急急忙忙地安置自己的后代。

枫树的枝条上挂着一对对翅果。它们已经彼此分离，只待风儿把它们摘下并拖走。

盼望着风儿的还有草本植物：大蓟，在它高高的茎秆上，从干燥的小兜里伸出一束束蓬勃的淡灰色丝状茸毛；香蒲，它把茎伸到沼泽里其他野草的上方，茎的顶端裹着棕色的茸毛外衣；山柳菊，它那毛茸茸的小球在晴朗的日

① 半灌木是多年生植物，更新芽可保持几年，而枝的上部每年更替，高达80厘米，主要生长在干旱地区。

子，只要有些许微风，随时都可飘扬四方。

还有许多别的草本植物，它们的果实上附有或短或长，或普通或羽状的小毛。

在收割一空的田野上，在道路和沟渠的两旁，下列植物盼望的已不是风儿，而是四脚或两脚的动物：牛蒡，它拥有带小钩的干枯的篮状花序，里面塞满了有棱有角的种子；鬼针草，它有黑色的带三个角的果实，那些果实非常喜欢扎到袜子上；善于扎住东西的拉拉藤，它那圆形的小果实会牢牢地扎住或卷进衣服里，要摘下它只能连带拉下一小绺衣服上的绒毛。

■ H · 帕甫洛娃

秋季的蘑菇

现在森林里是一副凄凄惨惨的样子，光秃秃的一片，充满湿气，散发出腐叶的气息。但也有一样叫人高兴的东西：蜜环菌，看着它都让人觉得开心。它们有的一丛丛地长在树墩上、树干上，有的散布在地面上，仿佛一个个离群的个体独自在这里踯躅徘徊。

看着开心，采摘起来也愉快。即便只采伞盖，而且专挑好的，那也不消几分钟就能采满一小篮。

小的蜜环菌很好看，它的伞盖还紧实地收着，就如婴儿的帽子，下面是白白的小围巾。几天以后它就会松开，成为真正的伞盖，而小围巾则变成了领子。

整个伞盖是由毛边的鳞状物组成的。它是什么颜色呢？这一点不容易说明白，大抵是一种悦目的、静谧的浅褐色。小蘑菇伞盖下面的菌褶仍然

是白的，老了以后几乎呈淡黄色。

可是你们是否发现，当老蘑菇的伞盖罩住小蘑菇时，它上面仿佛撒满了粉末？是不是长霉点了？但是你很快就会明白："这是孢子！"也就是从老蘑菇的伞盖下面撒出来的。

如果你想吃蜜环菌，可要认准它的全部特征。常有人把毒菌当蜜环菌带到集市上出售。

有一些毒菌样子和它相似，而且也长在树墩上。但是所有毒菌的伞盖下面都没有领圈，伞盖上没有鳞状物，伞盖颜色鲜艳，呈黄色或浅红色，菌褶呈黄色或绿色，孢子是深色的。

■ H·帕甫洛娃

第二份林中来电

我们已经探明是什么动物在海岸的淤泥地上留下了十字形的花纹和小点。

原来是鹬的杰作。

水藻丛生的海湾可是它们的小饭馆。它们在此逗留歇脚，果腹充饥。它们在松软的水藻上迈开自己的长腿，留下三个脚趾分得很开的爪痕。而小圆点则留在它们把长长的喙戳进水藻里的地方，这样做是为了从中拖出某样活物做早餐。

我们捉了一只整个夏季都住在我家屋顶上的鹳，在它的脚上套了一个轻金属（铝制）脚环。在环上刻着这样的文字：Moskwa，Ornitolog.Komitet A.No.195（莫斯科，鸟类学委员会，A组第195号）。然后，我们把鹳放了。让它戴着脚环飞行吧。如果有人在它的越冬地捉到它，我们就能从报上得知我们的鹳在何处过冬了。

林中的树叶已完全变色，开始飘落。

■ 本报特派记者

都市新闻

胆大妄为的攻击

在列宁格勒，伊萨教堂广场，光天化日之下，就在行人的眼前发生了一起胆大妄为的攻击事件。

一群鸽子从广场上飞起来。这时从伊萨教堂的圆顶上飞下一只硕大的游隼，袭击了处在边缘的一只鸽子。鸽毛开始在空中飞舞。

行人们看见大惊失色的鸽群躲到了一幢大房子的屋檐下，游隼则用利爪抓着死去的猎物，吃力地飞上了教堂的圆顶。

大隼迁徙的路线经过我们的城市上空。飞行的猛禽喜欢在教堂圆顶或钟楼上搭建它们的强盗窝，因为这里便于它们搜寻猎物。

夜晚的惊吓

在城郊，几乎每天夜里都有令人惶恐不安的事发生。

人们一听到院子里的喧闹声就迅速起床，把头探到窗外。怎么回事，发生什么事了？

楼下院子里传来了很响的家禽扑打翅膀的声音，鹅啧啧地叫着，鸭子也嘎嘎嚷个不停。该不是黄鼠狼攻击它们了？还是狐狸钻进了院子？

可是在房子都是砖石砌成的城市里，在安装着铸铁大门的房屋里，哪来的狐狸和黄鼠狼呢？主人仔细检查了院落和禽舍，一切正常，什么野兽也没有，也没有什么东西能通过坚固的锁和门闩。准是那些家禽做了噩梦。你看现在它们不是安静下来了吗。人们躺回床上，又安心地入睡了。

但是一小时以后又响起了啧啧声和嘎嘎声。一片惊慌，一阵骚乱。又出什么事了？

你打开窗，躲起来听着。在漆黑的夜幕上，星星闪烁着金色的光芒。四周万籁俱寂。然而就在这时，似乎有一个个捉摸不定的影子在高空滑过，依次遮蔽着天空金色的灯火。听得见时断时续的轻轻的哨音——那是从高高的夜空里传来的一种隐隐约约的叫声。

家养的鸭和鹅顿时苏醒过来。这些禽类似乎早已忘却了自由，现在有一种朦胧的冲动使它们振翅鼓动起空气来。它们稍稍踮起脚掌，伸长了脖子，悲伤而忧郁地叫着，叫着。

它们自由的野生姊妹们在漆黑的高空用呼唤对它们作出了回应。在砖石房屋的上空，在铁皮屋顶的上空，那些飞行中的旅行者正一群接一群地鱼贯而过。夜空传来的便是野鹅[①]和黑雁从喉部发出的呼应声。

"啧！啧！走咯，走咯！离开寒冷，离开饥饿！走咯，走咯！"

候鸟嘹亮的叫声在远方消失了，但是在砖石房屋的院落深处，早已失去飞行能力的家鹅和家鸭却乱了方寸。

① 即大雁，有多个品种。俄罗斯家养的鹅，大部分是由灰雁驯养培育出来的，中国的家鹅则由鸿雁驯养培育而成。

仓鼠

我们正在挖土豆。突然，在我们劳作的地方有什么东西呜呜叫了起来。后来狗跑了过来，就在这块地旁边坐了下来，开始东闻西嗅，而这小东西还在呜呜叫个不停。于是狗开始用爪子刨地。它一面刨一面不停地汪汪叫，因为那东西一直在对它呜呜叫。狗刨出了一个小土坑，这时勉强能见到这小东西的头部。接着狗刨出的坑很大了，便把小东西拖了出来，但是它咬了狗一口。狗把它从自己身上扔了出去，又拼命地汪汪叫起来。这只小兽和一只小猫差不多大，毛色灰中带点黄、黑和白色。我们这儿称它为黄鼠（仓鼠）。

■ 驻林地记者　巴拉绍娃·马丽亚

第三份林中来电

寒冷的早霜已经降临了。

有些灌木丛的树叶已经落尽，仿佛被刀割了一般。树叶如雨水般从树上纷纷落下。

蝴蝶、苍蝇、甲虫都已各自藏起来了。

候鸟中的鸣禽匆匆穿过小树林和丛林，因为它们已经食不果腹。只有鸫鸟没抱怨填不饱肚子。它们正成群结队地扑向一串串成熟的花楸树的果实。寒风正在落尽树叶的森林里呼啸。树木进入了梦乡。林中再也听不到如歌的鸟语。

■ 本报特派记者电

连蘑菇都忘了采

在 9 月里我和同学们一起到森林里去采蘑菇。我在那里惊起了 4 只花尾榛鸡。它们一身灰色，长着短短的脖子。

接着我见到一条被打死的蛇。它已经风干了，挂在树墩上。树墩上有个小洞，从那里传出咝咝的声音。我想这儿大概是蛇窝，就从这可怕的地方跑开了。后来当我走近沼泽时，见到了有生以来从未见过的情景：7只鹤从沼泽里飞上了天，仿佛7只绵羊。以往我只在学校的挂图上见到过它们。

伙伴们都采了满满的一篮蘑菇，我却一直在林子里东奔西跑：到处都有小小的鸟儿，传出各种婉转的叫声。

在我们走回家时，一只灰色的兔子奔跑着从路上横穿过去，只见它的脖子是白的，一条后腿也是白的。我从一旁绕过了有蛇窝的那个树墩。我们还见到了许多大雁：它们飞过我们村的上空，发出嘹亮的叫声。

■ 驻林地记者　别兹苗内依

喜鹊

春天的时候，村里的几个小孩捣毁了一个喜鹊窝，我向他们买了一只小喜鹊。在一昼夜的时间里，它很快就驯服了，第二天它已经敢直接从我手里吃食和饮水了。我们给它起了个名字：魔法师。它已听惯了这个称呼，一听见叫它就会回应。

长出翅膀后，它就喜欢飞到门上面停着。我们门对面的厨房里有一张带抽屉的桌子，抽屉里总放着一些吃的东西。通常只要你一拉开抽屉，喜鹊立马就从门上飞进抽屉，急急忙忙地抢吃里面的东西。如果你要把它拿出来，它就喊喊叫，赖着不肯离开。我去取水时对它喊一声："'魔法师'，跟我走！"它就停到我肩膀上，跟我走了。

我们准备喝茶的时候，喜鹊总喜欢喧宾夺主：啄一块糖，抓一块小面包，要不就把爪子直接伸进热牛奶里去。不过最可笑的事常发生在我去菜园里给胡萝卜除草的时候。"魔法师"就停在那里的菜垅上，看我怎么做。接着它也开始从地上拔东西，像我一样把拔出的东西放成一堆：它在帮我除草呢！令人哭笑不得的是，这位助手却良莠不分——它把什么都一起拔了，无论杂草还是胡萝卜。

■ 驻林地记者　维拉·米海耶娃

躲藏起来……

天气越来越冷了。美好的夏季已经消逝……动物们的血液在渐渐冷却，行动越来越软弱无力，总是昏昏欲睡的。长着尾巴的北螈整个夏天都住在池塘里，从来没有离开过。现在它爬上了岸，在森林里到处游荡。最后它找到了一个腐烂的树墩，钻进了树皮里，在那里把身体蜷缩成一团。

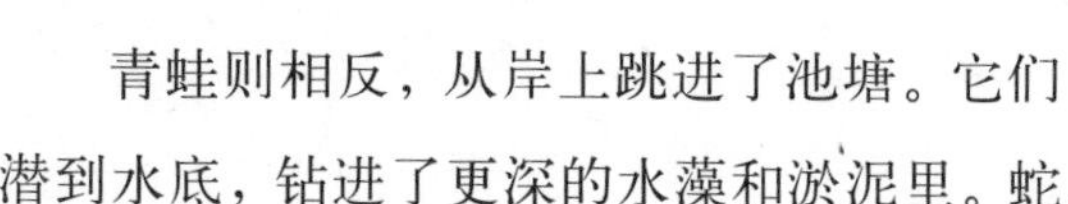

青蛙则相反，从岸上跳进了池塘。它们潜到水底，钻进了更深的水藻和淤泥里。蛇、蜥蜴躲到靠近树根的地方，钻进了温暖的苔藓里。鱼儿扎堆挤在水下的深坑里。蝴蝶、苍蝇、蚊子、甲虫钻进了小洞、树皮的小孔、墙缝和篱笆缝里。蚂蚁把自己有着成百门户的城堡的门以及所有出入口统统堵了起来。它们钻进了城堡的最深处，紧紧聚成一团，静静地睡着了。

它们面临着忍饥挨饿的日子。对于恒温动物——兽类和鸟类来说，寒冷并不那么可怕，因为只要有食物，吃一点下去，就像炉子生了火。而冷血动物就只能忍饥挨饿了。蝴蝶、苍蝇、蚊子都躲藏起来了，所以蝙蝠就没有了聊以充饥的东西。它们藏身于树洞、岩洞、山崖的裂罅、屋顶下的阁楼间里。它们用后腿的爪子随便抓住什么东西，头朝下把身体倒挂起来，然后用翅膀像雨衣一样把身体盖住，就入睡了。青蛙、蛤蟆、蜥蜴、蛇、蜗牛都躲藏起来了。刺猬躲进了树根下自己的草窝里。獾也很少走出自己的洞穴了。

鸟类飞往越冬地

自天空俯瞰秋色

真想从高空俯瞰我们辽阔无际的国家。在清秋时节，乘坐热气球升到高

空，俯瞰耸立的森林，俯瞰飘移的白云——离地大约有30千米吧。尽管我们国土的疆垠你依然看不到，但当你放眼望去，就会发现，大地竟是如此广袤！当然，这得在天空晴朗、万里无云的日子里。在高空鸟瞰下方，你会觉得似乎整块大地都在运动：有什么东西正在森林、草原、山岭、海洋的上空移动。

这是无数的鸟群在飞翔。我们的候鸟踏上了去往越冬地的航程。

当然有些鸟儿依然留在了原地：麻雀、鸽子、寒鸦、红腹灰雀、黄雀、山雀、啄木鸟和别的小鸟。留下来的还有除鹌鹑以外所有的野鸡。还有苍鹰、大猫头鹰。不过这些猛禽在我们这儿一到冬季便无事可做了，因为大部分鸟类都飞去了越冬地。飞迁是从夏末开始的：最先飞走的是春季来得最晚的那些鸟儿。鸟类的飞迁会持续一整个秋季，直至河水封冻。最后飞离我们的是春季最先出现的鸟儿：白嘴鸦、云雀、椋鸟、野鸭、海鸥……

各有去处

你们是否以为从气球上望去，在通向越冬地的路上布满了自北而南飞行的如潮鸟群？那就大错特错了！

不同种类的鸟在不同的时间飞离，大部分在夜间飞行，因为这样比较安全。而且并非所有的鸟都自北而南飞往越冬地。有些鸟在秋季是自东向西飞的。另一些则相反——自西向东。我们这儿还有这样一些鸟，它们竟直接飞往北方越冬！我们的特派记者用无线电报和无线电广播告诉我们哪些鸟飞往何处，以及那些展翅远飞的跋涉者一路上有何感受。

自西向东飞

“切——依！切——依！切——依！”红色的朱雀成群结队地这样彼此呼应。早在8月份时，它们就开始了自己从波罗的海沿岸，从列宁格勒州和诺夫戈罗得州出发的旅程。它们走得从从容容，因为到处都有充足的食

物，干吗要急着赶路？又不是赶回老家去筑巢孵小鸟。

我们曾看见它们飞经伏尔加河，越过不高的乌拉尔山脊，现在又见它们来到了西伯利亚的草原巴拉巴。它们日复一日地一直向东，向东——向着太阳升起的方向前进。它们从一座树林飞向另一座树林，因为整个巴拉巴草原上长满了一座座白桦树林。

它们竭力在夜间飞行，白天则休息和觅食。尽管它们成群结队地飞行，而且雀群中每只鸟都十分警惕地观察着四周，以免遭遇不测，还是免不了有不幸事件发生：说不定哪只小鸟稍不留神就落入了鹰爪。在西伯利亚，鹰类非常多：苍鹰，燕隼，灰背隼，等等。它们是快速飞翔的能手，可厉害呢！在小鸟从一片小树林飞向另一片小树林的时候，不知被抓走了多少只！夜间好些，因为猫头鹰不多。

在西伯利亚，朱雀群的路线转了个弯：越过阿尔泰山，越过蒙古沙漠，飞往炎热的印度越冬——在艰辛的旅途中，又有多少小鸟会命丧黄泉！

Ф－197357号脚环的小故事

一只小小的鸥鸟——北极燕鸥的脚上套了个编号为Ф－197357的轻金属脚环，那是我们俄罗斯的一位年轻学者给戴上的。这件事发生在1955年7月5日，北极圈外白海上的坎达拉克沙自然保护区。

这一年的7月底，小鸟儿刚刚会飞，北极燕鸥便聚集成群，启程踏上了越冬的旅途。它们先向北飞，飞向白海的入海口，接着向西——沿着科拉半岛的北海岸，然后转向南沿着挪威、英国、葡萄牙、整个非洲的海岸一路飞行。绕过好望角后，它们就飞到了东方：从大西洋进入了印度洋。

1965年5月16日，在弗里曼特尔市附近的澳大利亚西海岸——离坎达拉克沙自然保护区直线距离24000多千米的地方，戴着Ф－197357号脚环的年轻北极燕鸥被一位澳大利亚学者捕获了。

它那戴脚环的标本现在收藏在澳大利亚珀斯市动物博物馆。

自东向西飞

每年夏季，都会有乌云般的一群群野鸭和白云般的一群群海鸥在奥涅加

湖上繁殖。秋季正在临近，于是这些“乌云”和“白云”便飞向了西方——太阳下山的方向。针尾鸭群和海鸥群动身向越冬地进发了。让我们乘飞机跟随它们一起飞吧。

你听到尖利的哨音了吗？随之而起的是拍水声，翅膀扇动声，野鸭绝望的嘎嘎声和海鸥的鸣叫声……这是针尾鸭和海鸥刚想在一个林间小湖上安顿休息，而同样是候鸟的游隼却紧随而至，追上了它们。仿佛一根长长的牧人的鞭子随着一声呼啸划过长空，它在一只飞到空中的针尾鸭上方飞掠而过，用它那弯刀似的后趾上的利爪划破了鸭子的脊背。受伤的鸟儿那长长的脖子像绳子一样垂挂下来，还未等它落入湖中，游隼已飞速转过身来，在紧贴水面的上方用爪子一把将它抓住，用钢铁般的利喙对着它的后脑致命地一啄，就把它带走做美餐了。这只游隼是鸭群的灾星。它与鸭群一起从奥涅加湖上启程，又和鸭群一起经过列宁格勒、芬兰湾、立陶宛……在吃饱的时候，它就停在某个山崖上或一棵树上，若无其事地看着海鸥在水面上方飞翔，野鸭一头扎进水里，再从水面上飞起来，聚成一堆或排成长长的鸟阵，向西——太阳像一颗黄色的圆球那样落进波罗的海那晦暗海水中的方向——继续自己的征途。但是只要游隼一感觉到饥饿，它便迅捷地追上自己的鸟群，从中抓出一只鸭子来吃。

它将会这样追随它们，沿着波罗的海岸、北海岸、德国的海岸线一直飞下去，追随它们飞经不列颠群岛——直到这些岛屿的岸边，这只会飞的狼才会最终饶过这些飞鸟。在这里，鸭群和鸥群将留下来过冬。而游隼，如果它愿意，又会飞去追逐其他南飞的鸭群——飞往法国、意大利，飞经地中海，直至进入炎热的非洲。

向北飞，向北飞，飞向长夜不明的地方！

绒鸭——正是为我们的外衣提供暖和轻柔的羽绒的那些鸭子——在白海的坎达拉克沙自然保护区安详地孵育了自己的雏鸭。这里对绒鸭的保护工作已实施多年，大学生和科学家给鸭子戴上脚环：在它们脚上套上带编号的轻金属圈，以便了解它们从保护区飞往何处越冬、绒鸭返回保护区的

数量，以及关于这些奇异鸟类生活中的其他细节。通过这个方法，他们得知绒鸭离开保护区后几乎一直向北飞，直到长夜漫漫、生活着格陵兰海豹和大声吐气的白鲸的北冰洋。

白海不久将整个儿被厚厚的冰层所覆盖，冬季绒鸭在这儿没有食物可吃。而在北方，水面长年不封冻，海豹和巨大的白鲸在那里捕食鱼类。

绒鸭从岩礁和海藻上揪食软体动物——水下的贝类。对它们这些北方鸟类来说，填饱肚子可是头等大事。纵然当时正值严寒天气，四周是茫茫水域，一片黑暗，它们却无所畏惧，因为它们穿着羽绒大衣，披着寒气无法穿透、世上最为暖和的羽绒！再说有时还会出现极光——北极天空出现的奇异闪光，还有巨大的月亮和明亮的星星作伴。大洋上一连几个月太阳不露面，这算得了什么？反正北极的鸭子会在那儿舒舒坦坦、饱餐终日、自由自在地度过北极漫长的冬夜。

候鸟迁徙之谜

为什么有些鸟类往南飞，另一些飞往北方，有一些往西飞，还有一些飞往东方？为什么许多鸟类只在水面结冰，或开始下雪，它们再也无可觅食的时候才飞离我们？而另一些鸟类，例如雨燕，却按时离开我们，准确地遵循着日历上的时间，虽然当时它们的食物在四周应有尽有？

还有最为主要的一点：它们根据什么知道秋季应该飞往何方，在何处越冬，以及走哪条路才能到达那里呢？

令人费解的是：一只小鸟出生在这儿，比如莫斯科或列宁格勒的某地，而它却要飞往南部非洲或印度越冬。我们这儿还有一种飞行速度极快的年轻游隼，它们要从西伯利亚飞往世界的边缘——澳大利亚。它在那儿待不了多久，到我们这儿春暖花开时又飞回来。

（待续）

林木种间大战

（续完）

本报记者找到了林木种间大战终结的地方。

这地方原来是云杉的天下，我们的记者在这趟旅程一开始的时候就到过那里。

下面就是他们所了解到的这场可怕战争的结局。

许多云杉在和白桦以及山杨赤手空拳的搏斗中牺牲了。然而最终还是云杉赢得了胜利。

它们是年轻的敌手。山杨和白桦的寿命比云杉短。步入老年的山杨和白桦已不能像它们的敌手那么迅速地生长。云杉长得高过了它们，在它们头顶张开了自己浓密的枝叶，于是喜光的阔叶树就渐渐枯萎了。

云杉还在继续生长，它们下面的阴影变得更密更暗。在那里等待着战败者的是凶狠的苔藓、地衣、蠹甲虫、木蠹蛾，以及终极命运——死亡。

好多年过去了。

自人们将阴沉年迈的云杉林伐尽，已过了100年。为争夺这块被解放的土地的战争也已延续了100年。而如今，在原地仍然耸立着那样一座阴沉年迈的云杉林。

在这座林子里听不到鸟儿的歌声，也没有欢乐的小兽在里面居住，所有偶然来到这儿的年轻绿色植物都会在这个阴沉沉的世界里枯萎并迅速死亡。

冬季临近了——这是林木种间大战每年休战的时节。树木正在休眠。它们比洞穴中的熊睡得还死。它们睡得沉沉的，经脉里的液汁已停止了流动，既不吃，也不长，只在睡梦中维持着呼吸。

你去仔细听听—— 一片沉寂。

你再仔细看看——这是布满了阵亡战士遗体的战场。

本报记者获悉，今年冬季这座阴沉沉的云杉林将被砍倒：按计划这里将是林木采伐地。

明年这里将是一片新的荒漠——伐尽树木的残址。在这上面又将开始一场林木种间大战。

不过这回我们不会再让云杉获胜了。我们将干预这场永恒的可怕战争，我们将在采伐过的土地上引种这里没有栽过的林木新品种，还将关注它们的生长，在必要的时候在顶上砍出一些窗口，使明亮的阳光能够渗入。

到时候，鸟儿将在这儿一年四季为我们唱着欢乐的歌。

和平之树

不久前，我的小伙伴们向莫斯科州拉缅斯科区所有低年级的学生发出呼吁，在园林周活动期间每人种一棵和平之树。少年米丘林工作者和成年园艺工作者承诺帮助他们栽种和培育和平之树。小伙伴们将在此学习和成长，他们的和平之树也将在校园里和他们一起成长！

■ 莫斯科州　朱可夫市第四中学的学生

农庄纪事

田间的庄稼已经收割一空。粮食获得了大丰收。农庄的庄员们和城里的市民们已经品尝到了用新收的粮食制作的馅饼和白面包。

铺在宽沟和山坡上的田里的亚麻，被雨水淋湿了，被太阳晒干了，又被风吹松了。又到了把它们收集起来运往打谷场的时候，在那里揉压过后，再剥下麻皮。

孩子们已经开学一个月，田里的活帮不上忙了。人们正忙着把土豆从地里挖出来，然后把它们运到站里，再将它们埋入沙丘上干燥的土坑里贮藏起来。

菜地里也变得空空如也。最后从地里收起的是包得紧紧的圆白菜。

种满绿油油的秋播作物的田间呈现出一派生机。这是集体农庄庄员们用以接替已经收割的庄稼而为祖国的新一轮收获所作的准备——这将是一轮更为丰硕的收成。

田间的公鸡和母鸡——灰色的山鹑已经不再以家庭为单位待在秋播田里，而是结成了更大的群体——每群有100多只！

对山鹑的狩猎很快就接近尾声了。

征服沟壑

我们的田野上出现了一条条沟壑。它们正在伸展，已经延伸到农庄的地里来了。农庄庄员们为此伤透了脑筋，我们的小伙伴——少先队员们也在为大人分忧。我们开了一次大会，专门研究如何更好地和沟壑开展斗争，阻止它们继续扩大。我们知道要做到这一点需要在沟壑里广种树木。树根

可以固定住土壤，巩固沟壑的边缘和坡面。这次会议是春天开的，现在已是秋天，我们在专设的苗圃里培育了树苗——大约有几千棵白杨树苗以及许多柳树和合欢的灌木[①]。现在我们已经开始栽种这些树苗了。

几年以后，沟壑的坡面都将被大树和灌木所覆盖。沟壑将被彻底征服。

■ 少先队大队委员会主席　科里亚 · 阿加丰诺夫

采集树种

9月里，很多乔木、灌木的种子和果实正在成熟。这时对于苗圃的播种和水渠及池塘的绿化来说，采集更多的树种显得尤其重要。

大部分乔木和灌木种子的采集最好在它们完全成熟前进行，或在它们成熟时尽快采集。其中尖叶枫、橡树、西伯利亚落叶松的种子尤其不能耽搁。

人们在9月份开始采集苹果树、野梨树、西伯利亚苹果树、红接骨木、皂荚树、荚蒾、栗树（七叶树和板栗）、榛树（西洋榛子）、银柳、醋柳、丁香、黑刺李和野蔷薇，还有在克里米亚和高加索常见的山茱萸的种子。

我们出了什么主意

全国人民正在忙一件极为美好的大事：植树造林。

春季我们过了一次“植树节”。今天成了名副其实的植树的节日。我们在集体农庄水塘的四周种了树，使它不会因阳光的照射而干涸。我们在高峻的河岸上也种满了树，以便加固陡岸。我们还绿化了学校的操场。经过一个夏季所有这些树木都已经生根、长大了。

下面是我们现在想到的事：冬天我们田间的道路都被白雪盖住了。每年冬季都得砍伐整片整片的小云杉树林，插上树条将道路从雪地里标识出来，用以指示方向，使人不致于在暴风雪天气迷路，陷进雪堆里。

我们想：干吗每年都要砍伐那么多树呢？最好在路的两旁一劳永逸地栽

① 我们往往会认为灌木只是很矮的小树丛，其实不然。灌木的高度可在0.8～6米之间，它和乔木的区别在于成年的灌木没有主干，而乔木在整个生命期都有主干，其高度可在2～100米之间，甚至超过100米。柳和合欢这两种木本植物既有乔木，又有灌木。

上永久性的活树，让它们自由生长，保护道路不被积雪掩埋，也指示了路径。

就这么办——我们在林边挖掘出小云杉，装入筐内运到路边。我们在路边种满了小树，这些树都高高兴兴地在新家生根成长起来。

■ 驻林地记者　瓦涅 · 扎尼亚京

集体农庄新闻

挑选良种母鸡

昨天，在“突击队员”农庄的养鸡场里进行了挑选良种母鸡的工作。人们用屏风把母鸡小心翼翼地赶往一个角落，捉住一只交到专家手里。这时，他双手捧着一只嘴巴长长、身子细长的母鸡，它长着一个缺乏血色的小鸡冠，傻乎乎地睁着一对睡意蒙胧的眼睛，像是在说：“你干吗打扰我？”

专家把它交了回去，说道：“这样的鸡我们不要。”

接着，他抓住一只嘴巴短短、眼睛大大的母鸡。它的脑袋宽宽大大，鲜红的鸡冠歪向一边，双目炯炯有神。母鸡挣扎着，叫着：“放开我，马上放开我！干吗把我们赶来赶去，又抓来抓去的？弄得我连正经事都干不了！你自己不会掏蚯蚓，又不让别人干！”

“这只好，”专家说，“让这只给咱们生蛋。”

原来，得挑选有生气、有活力、乐天派的母鸡，才会多下蛋。

乔迁之喜

春季里，鲤鱼妈妈在一个浅浅的小水塘里产了卵。从这些卵里孵化出70万尾鱼苗。这个水塘里没有其他种类的鱼，只有这一大家子：70万个兄弟姐妹。可是经过一个半星期后，它们在这儿已经感到拥挤了，所以得把

它们迁到一个大池塘去住了。鱼苗在大池塘里成长，快到秋季时它们便被称为小鲤鱼了。现在小鲤鱼又要准备迁到越冬的水塘里去了。冬天结束后，它们就一岁了。

在星期天

小学生们帮助“朝霞”集体农庄收获块根作物：从土里挖掘甜菜、冬油菜、萝卜、胡萝卜和欧芹。孩子们发现冬油菜的块根比脑袋最大的同学瓦季克·彼得罗夫的脑袋还大。不过最使他们惊讶的是饲料胡萝卜的个头。

盖纳·拉里昂诺夫把一个胡萝卜挪到自己腿边一比，它竟和膝盖等高！而它的上端宽度竟和手掌一样。

“在古代人们大概用块根植物来打仗，”盖纳·拉里昂诺夫说，“他们用冬油菜的块根代替手榴弹扔向敌人。到徒手格斗的时就嘭地一下，用胡萝卜向敌人的脑袋砸过去！”

“在古代根本就没有这么大的块根植物！”瓦季克·彼得罗夫反驳说。

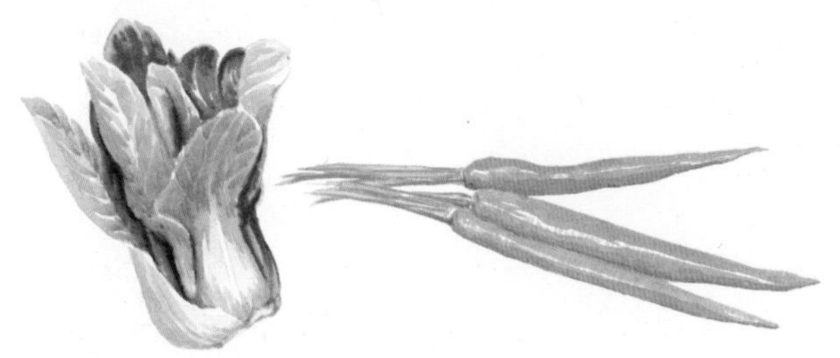

“把小偷关进瓶子里！”

这是“红十月”集体农庄的养蜂人说的一句话。

这一天，因为天气较凉，蜜蜂都待在蜂箱里。而这正是黄蜂这伙盗贼求之不得的。它们飞到了养蜂场来偷窃蜂箱里的蜂蜜。但是没等飞到蜂箱，它们就嗅到了蜂蜜的香味，看见了摆放在养蜂场上装有蜜水的玻璃瓶子。这时黄蜂打消了偷袭蜂箱的念头。它们断定也许从瓶子里偷蜜似乎要文明些，也不像从蜂箱里偷那么危险。它们试了试，结果落进了圈套：掉进蜜水淹死了。

■ H·帕甫洛娃

基特·维里坎诺夫讲述的故事

在篝火边

我曾和几位老人一起去森林里和湖上打过猎。

我们趁着晚霞满天，照例尽兴地乒乒乓乓开了一阵枪，打到了几只野禽。所以就烧起了一堆篝火，饱餐了一顿野鸭汤，接着又喝了茶。火堆上煮的茶可好喝哩，有一股烟火味！形形色色的打猎故事自然而然地开讲了：不管怎么样，总得把这一夜的时光打发过去，第二天天一亮又得去打猎了。

叶甫赛依爷爷头一个讲开了："你们这儿的鸟禽嘛，不过是普普通通的那些，不像克里米亚常见的鸟兽那样稀奇。我在克里米亚当过兵，不敢说在那儿有多长见识，可那儿的鸟儿却真的叫人惊奇！"

"开场了，"我心里暗想，"即使不让我吃饭，只要能听这些猎人的故事就好，这些故事太精彩了！"另外几个人说："闵希豪生[①]的故事！"可我却认为：猎人在狩猎时当然心情激动，浮现在他眼前的景象和无动于衷的人见到的不一样。当然，也常有猎人在讲故事时稍稍添油加醋、夸大事实。正因为这样故事才精彩！民间流传着一句关于猎人的话：尽是胡编乱造！但他们的故事里往往隐藏着令人惊异、罕见的真情实事，这样的事别人从来不曾见到过。干吗不听听呢！所以我就发问了："叶甫赛依爷爷，您在那儿究竟遇见了什么从未见过的鸟儿呢？"

"恐怕说了你也不相信。举例说吧，那儿有一种野鸭。姑且叫它鸭子吧，它的个头却有雁那么大。人们都叫它加拉加兹。这种鸭子的性子简直像野

① 闵希豪生（1720～1797），德国乡绅，一称闵希豪生男爵，善讲故事，这些故事成为《闵希豪生男爵的奇遇》一书的基础。他曾在俄国军队服役。

西在嗷嗷叫，还发出了扑腾声！又出什么事啦？

“我们走上前去，原来那儿躺着好大的一只猫，正在挣扎呢。那里生长着一种丛林猫，当然是野生的。那些猫个头很大，比咱们的家猫大一倍。原来，少校这一枪误中了野猫的脑袋——幸好他打中的不是向导犬！”

伊凡爷爷说起了自己的追踪犬的故事，那条狗已经很老了，眼睛全瞎了，可是追踪起兔子来比以前还厉害。

“它在林子里怎么可能不被树撞个头破血流呢？”叶甫赛依爷爷摇了摇头，问，“嘿，你又撒谎了！”

“它可是不慌不忙地一步步走的。兔子也不慌不忙地躲着它走。可是狗还是能把它往我这边赶。”

“这算什么！”叶甫赛依爷既不表示赞同，也不表示反对，自言自语地说，“听说有个猎人有条猎狗，就像少校先生的那条追踪犬，样子跟同胞姊妹似的。那条狗会对着纸做伺伏的动作。”

“这是这么回事？对着纸张伺伏？”伊凡爷爷弄不明白了。

“很简单。主人在纸上写上‘黑琴鸡’或‘田鹬’的字样，那狗就会一面找猎物，一面做伺伏的动作。而对没写猎物的纸张它却连看也不看。”

“哎嘿！咳！咳！”伊凡爷爷突然剧烈地咳嗽起来，“该死的蚊子！它们血倒只吸了一点儿，却不知为什么无缘无故地钻进了我的喉咙里。在林子里，这些成双成对的蚊子搅得人不得安宁，在家里又让苍蝇搅得不安生。苍蝇知道自己日子不多了，所以变得那么坏，比蚊子咬得还凶。”

“你看，”他又说道，“火堆已经灭了。所以蚊子叮咱们来了！天蒙蒙亮了。该干活了。”

■ 基特 · 维里坎诺夫

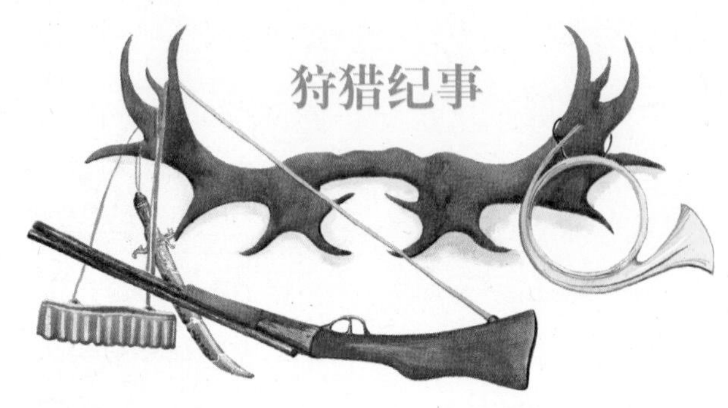

狩猎纪事

变傻的黑琴鸡

到了秋季，黑琴鸡会成群成群地聚集起来。这里有羽毛丰满的公鸟，也有羽毛上有花点的棕红色母鸟，还有年轻的雏鸡。

一大群琴鸡闹闹嚷嚷地飞到长浆果的地方，准备饱餐一顿。

鸟儿在田野里四下散开，有的揪食长得很牢的红色越橘，有的用爪子扒开草丛，吞食碎石子和沙粒。碎石子和沙粒能助消化，在嗉囊和胃里磨碎坚硬的食物。

沙沙——干燥的落叶上传来了急促的脚步声。

黑琴鸡都抬起了头，警觉起来。

是冲这儿跑来的！树丛间闪动着一条莱卡狗的身影，脑袋上竖着两只尖耳朵。

黑琴鸡们不情愿地飞上了树枝，还有一些躲进了草丛里。

猎狗在浆果地里到处奔跑，把所有的鸟一只不留地都惊得飞了起来。

接着它坐在一棵树下，选中一只鸟，用双眼盯着它，叫个不停。

那只鸟也瞪大眼睛看着猎狗。不久它在树上待腻了，开始在树枝上走来走去，一直转动脑袋望着猎狗。

多么讨厌的狗！它干吗老坐着不走！我肚子饿了……你快走哇，那样我也好再飞到下面去吃浆果呀……

突然枪声响了，被打死的黑琴鸡坠落到了地上：在它被猎狗缠住时，猎人偷偷地走近，冷不防用枪把它从树上打了下来。群鸟啪啪地振翅飞到了

森林上空，远离猎人而去。林间空地和小树林在它们下面闪动。在哪里降落好呢？这儿会不会也藏着猎人呢？

在一座白桦林的边缘，光秃秃的树梢上影影绰绰地停着黑琴鸡。一共有三只。这就是可以安全降落的地方：如果白桦林里有人，鸟儿不会那么安安稳稳地在那儿停栖。

群鸟越飞越低，眼看着唧唧喳喳地在树梢上各自停了下来。停在这儿的那三只公黑琴鸡连看也不看它们一眼——它们一动不动地停着，仿佛三个树桩。新飞来的那些黑琴鸡专注地端详着它们。那是三只漂亮的公黑琴鸡：身子黑糊糊的，眉毛红彤彤的，翅膀上有白色花斑，尾巴分叉，还有一双亮闪闪的黑眼睛。

一切正常。

砰！砰！怎么回事？哪来的枪声？为什么新来的鸟儿有两只从树上掉了下去？林梢上空升起一团轻烟，很快就消散了。但是原来那三只黑琴鸡还是像刚才那样待着不动。群鸟望着它们，仍然停在树上。下面一个人也没有。干吗要飞走呢？！

群鸟把脑袋转来转去，四下里张望了一会儿，便宽下心来。

砰！砰！又一只公黑琴鸡像土块一样坠落到地上。另一只飞到了林梢上方的高空，在空中向上一蹿，也落了下来。受惊的鸟群立刻飞离了树枝，在受了致命伤的黑琴鸡从高空落到地面前就从视野里消失了。只有那三只公黑琴鸡，自始至终纹丝不动地停在树梢上。

下面的一间不显眼的小窝棚里走出一个手持猎枪的人，捡走了猎物。

白桦树梢上那三只公黑琴鸡的黑眼睛若有所思地望着森林上空的某个方向—— 一动不动的公黑琴鸡的黑眼睛其实是两颗玻璃珠子。而静止不动的黑琴鸡本身原来是用碎绒布做的。鸟喙倒是真正的黑琴鸡嘴，分叉的尾巴也是用真正的羽毛做的。

猎人取下标本，下了树，又爬上另一棵树去取另两个标本。

在远处，饱受惊吓的鸟群在飞越森林上空时满腹狐疑地观察着每一棵树，每一丛灌木：哪儿又会冒出新的危险呢？到哪儿去躲避诡计多端、狡猾透顶的猎人呢？你永远无法事先知道他用什么方法暗算你……

好奇的大雁

大雁生性好奇，这一点猎人心里最清楚。他还知道，没有比大雁更警惕的鸟了。

在离岸整整 1 千米的浅沙滩上就栖息着一大群大雁。无论你走着，爬着，还是乘船，都甭想靠近它们。它们把脑袋搁到翅膀下面，缩起一条腿，安安静静地在睡觉。它们没什么好担心的，因为它们有站岗放哨的。在雁群的每一边都站着一只老雁，它不睡觉也不打盹儿，而是警惕地注视着四方。不妨打它们一个猝不及防！

一条狗来到了岸上，放哨的雁马上伸长了脖子。它们在观察：它打算做什么？猎狗在岸上跑来跑去，一会儿到这边，一会儿到那边。它在沙滩

上捡着什么，对大雁毫不在意。没什么可疑的。可那几只大雁心里好奇：它老是前前后后地转来转去干吗？应该再靠近些瞅瞅……

放哨的一只雁开始摇摇摆摆地向水里走去，然后就游了起来。水波的轻声拍打还惊醒了三四只大雁。它们也看见了猎狗，也向岸边游去。

凑近了它们才看明白：从一大块岩石后面飞出一个个小面包团，有的飞向这边，有的飞向那边，都落在了沙滩上。狗儿摇着尾巴追逐着面包团。

打哪儿来的面包团？藏在岩石后面的又是谁？几只大雁越靠越近，一直游到了岸边，把脖子伸得长长的，竭力想看清楚些……从岩石后面突然跳出来的猎人用精准的射击，让它们好奇的脑袋在水里开了花。

六条腿的马

一群大雁正在田野里觅食，吃得有滋有味的。整个雁群都在放心地吃草，放哨的几只则站在四面警戒。它们不会让人或狗靠近半步。

远处的地里有马匹在走动。大雁并不害怕，因为它们都知道马是性情温和的食草动物，不会攻击鸟类。有一匹马一面揪食着又短又硬的麦茬儿，一面慢慢地朝雁群靠近。不过那又怎么样呢，就算它走到跟前，飞走不就得了吗！

这匹马有点儿怪：它有六条腿。一定是个怪胎……其中四条腿和一般的没什么两样，可是有两条腿却穿在裤管里。

一只放哨的雁开始啧啧地发出警报。群雁警觉地抬起了头。

马儿在徐徐靠近。放哨的那只雁展翅飞了起来，飞去侦察动静。

从高处它看见马身后躲着一个人，手里握着枪。

“咯——咯——咯，啧——啧！”侦察员发出了逃跑的警报。

整个雁群奋力扇动翅膀，沉甸甸地飞离了地面。懊丧的猎人追着它们开了两枪，然而距离太远，霰弹够不着。雁群得救了。

迎着挑战的号角

这段时间，每到晚上，森林里就响起驼鹿挑战的响亮号角声：“谁个不怕丢了自己的小命，出来决斗吧！”

于是一头老驼鹿从自己长满苔藓的栖息地站了起来。它那宽阔的双角长着13个新生的枝叉，它的身高有两米，体重达400千克。

谁敢向林中第一勇士发出挑战？

老驼鹿怒不可遏地迎着挑战的号角声疾步走去，沉重的蹄子深深地陷入潮湿的苔藓里，冲撞踩踏着挡路的小树。

又传来了对手挑战的号角。

老驼鹿用可怕的怒吼作出回应，那吼声是如此可怕，吓得一群山鹑从白桦树上啪啪地飞走了，吓得胆小的兔子从地面上高高地蹦了起来，没命地逃进了密林。

“谁敢！”老驼鹿两眼充血，不管前方是否有路，直向对手冲去。树木稀疏起来，这里就是林间空地！它猛地一下从树间冲了出去——要用双角去抵撞，用自己沉重的身躯把敌手压垮，再用自己尖锐的蹄子把它踩死！

直到枪声响起的时候，老驼鹿才发现树后面带枪的人和挂在他腰间的大号角。驼鹿迅速向密林中逃去，因为虚弱而摇晃着身子，伤口淌着鲜血……

开猎野兔

猎人出行

和往常一样，报纸上宣布10月15日可以开始捕猎野兔了。

又像8月初那样，火车站挤满了一群群猎人。他们仍然带着狗，有些人甚至带来了两条或更多的狗。不过这已经不是猎人夏季出猎时带的狗，这次可不是来追踪野禽的。这些狗高大健壮，长着挺拔的长腿、沉甸甸的脑袋和一张狼嘴，粗硬的皮毛颜色各异：有黑色的，也有灰色的，有棕色的，也有黄色的，还有紫红色的；有黑花斑的，黄花斑的，紫红花斑的，还有黄色、棕色、紫色中带着一块黑毛的。

这是些善跑的猎犬，有公的，也有母的。它们的工作是根据足迹找到野兽，把它从栖身之地赶出来，然后吠叫着不断地驱赶它，让猎人知道野兽往哪儿走，绕什么样的圈儿，好站在野兽的必经之路上，迎头给它一枪。

在城市里养这种大型的性格暴躁的狗是很难做到的。许多人出门干脆就不带狗。我们的猎队也一样。

我们乘火车去找塞索伊·塞索伊奇，打算一起围猎野兔。

我们一共12个人，所以占据了车厢内的三个分格。所有的乘客都惊疑地看着我们的一个伙伴，笑咪咪地窃窃私语着。

确实有值得关注的理由：这位老兄是个大个子。他太胖了，甚至有些门都走不过去。他体重达150千克。

他不是猎人，但医生嘱咐他多走路。论射击他是一把好手，在靶场里他的射击成绩数一数二。为了培养对走路的兴趣，他就跟着我们来打猎了。

围猎

傍晚，塞索伊·塞索伊奇在一个林区小车站接到我们。我们在他家里过夜，天刚亮就出发去打猎了。我们一大群人浩浩荡荡朝森林进发了——除了我们，塞索伊·塞索伊奇还约了20个农庄庄员来呐喊驱逐野兽。

我们在林边停了下来。我把写有号码的一张张小纸片搓成卷儿，放进帽子里。我们12个射击手，每个人依次来抓阄，谁抓着几号就站在第几号的位置上。

呐喊的人离开我们去往森林的那一边了。塞索伊 · 塞索伊奇开始按号码把我们分别安排在宽阔的林间通道上。

我抓到的阄是6号，胖子抓到了7号。塞索伊 · 塞索伊奇给我指明了我站立的位置后，开始向这位新手交代围猎的规则：不能顺着射击路线的方向开枪，那样会打中相邻的射手；呐喊声接近时要中止射击；狍子不可打，因为是禁猎对象；等待信号。

胖子所在的位置离我大约60步。猎兔子和猎熊不一样：现在就是把射手间的距离设在150步也可以。塞索伊 · 塞索伊奇正在射击路线上毫不客气地大声说话，他教训胖子的那些话我都能听见："你干吗往树丛里钻？这样开枪不方便。你要站在树丛边，就是这儿。兔子是在低处看的。您那两条腿——请原谅——就像俩树墩，要把它们分得开些，这样兔子就会直接把它们当成树墩儿了。"

安排好射手后，塞索伊 · 塞索伊奇跳上马，到森林的那一边去布置围猎的人了。

离行动开始还有一段时间，我就四下里观察起来。在我前方大约40步的地方，耸立着落尽树叶的赤杨、山杨，树叶落了一半的白桦和黑黝黝、树繁叶茂的云杉混杂在一起，像一堵墙。也许从树林深处，不久就会有一只兔子穿过挺拔交错的树干组成的树阵，向我正面冲来，如果走运的话，还会有一只森林巨鸟——雄松鸡大驾光临。我会不会错失良机呢？

等待的时间慢得像蜗牛爬行。胖子的自我感觉怎么样？他把身体重心在两条腿上来回转移，大概他是想把分开的双腿站得更像两个树墩……

突然，寂静的森林后边响起了两声洪亮而悠长的猎人号角：那是塞索伊 · 塞索伊奇在指挥呐喊人排列的阵线朝我们这儿推进——他正在发信号。

胖子把两条胳膊整个儿抬了起来；双筒猎枪在他手里就如一杆细细的拐杖。接着他就僵滞不动了。

怪人！还早得很呢，他就摆起了姿势，手臂会发酸的。

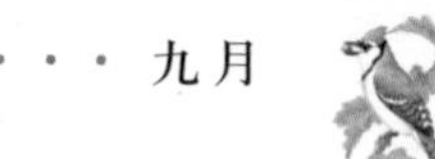

还听不见呐喊人的声音。

但是这时已经有人开枪了，枪声来自右方，沿着排列的阵线传来，后来从左方又传来两声枪响。已经开始打枪了！可我这儿还什么动静也没有。

这时胖子的双筒枪连发了两枪——砰砰！这是对着黑琴鸡打的。它们在很高的地方飞了过去，开枪也是白搭。

已经能隐约听到呐喊人的呼喊和用木棒敲击树干的声音。从两侧传来哐啷哐啷的声音……但是仍然没有任何动物向我飞来，也没有任何动物向我跑来！

到底来了！一样白里带灰的东西在树干后面闪动——是一只还没有褪尽颜色的雪兔。这是属于我的！哎呀，见鬼，它拐弯了！冲着胖子跳了过去……嗐，还磨蹭什么？开枪呀，开呀！

砰！落空了！雪兔直冲他跑了过去。

砰！从兔子身上飞下一块白色的东西。魂飞魄散的兔子冲到了胖子树墩似的两腿之间。胖子的腿一下子并拢了……难道他要用腿抓兔子？

雪兔滑了过去，胖子那庞大的身躯却扑通栽倒在了地上。

我笑得眼泪都流出来了，透过泪花我一下子看到了两只从林子里逃出来跳到我前方的雪兔，但是我无法开枪，因为兔子沿着射击路线的方向溜进了森林。胖子缓缓地跪起身子，站了起来。他向我伸出大手，拿着一团

毛茸茸的白东西给我看。

我对他大声说："您没摔坏吧？"

"没事。好歹我还拽下了一个兔子尾巴！"

真是个怪人！枪声停止了。呐喊的人走出了森林，大家朝胖子走去。

"他站起来了吧，大叔？"

"站是站起来了，你看看他的肚子！"

"难以置信——这么胖！看样子他把周围所有的野味都塞进自己衣服里了，所以才胖成这样。"

可怜的射手！在城里的靶场上，有谁会相信他竟然打不中呢！

不过塞索伊·塞索伊奇已经在催促我们到新的地点——田野去围猎了。

我们这一群人闹闹嚷嚷地沿着林间道路踏上归程。我们后面跟着一辆马拉的大车，上面装着这次围猎所获的猎物，胖子也在车上。他累坏了，大口喘着粗气。猎人们毫不留情地奚落他，不停地对他冷嘲热讽。

突然，在森林上空，从道路拐角的后面，出现了一只黑色大鸟，个头抵得上两只黑琴鸡。它直接沿着道路从我们头顶飞过。

大家都从肩头卸下了猎枪，森林里响起了惊天动地的激烈枪声：每个人都急于打下这罕见的猎物。黑鸟还在飞。它已飞到大车的上空。

胖子也举起了枪。双筒枪在他粗壮的双臂上犹如一根细拐杖。

他开了枪。这时大家看到：大黑鸟在空中令人难以置信地收拢了翅膀，飞行猛然中止，像一块木头一样从高空坠到了路上。

"嘿，有两下子！"猎人中有人发出了惊叹。"看来他是个神枪手。"

我们这些猎人都很尴尬，没有吭声：因为大家都开了枪，谁都看见了……胖子捡起了雄松鸡[①]——森林中长胡子的老公鸡，它的重量超过兔子。他拿着的猎物是我们中间每个人都乐意用今天自己所有的猎物来换的。

没人再敢嘲笑胖子了。大家甚至忘记了他用双腿抓兔子的情景。

■ 本报特派记者

---

① 松鸡属于松鸡科，体长可达110厘米；属于松鸡科的鸟类有18种，山鹑、榛鸡和琴鸡都在其中，松鸡科的鸟体长从30～110厘米不等，如琴鸡的长度一般在53～57厘米。故本文作者说大黑鸟的个头儿抵得上两只黑琴鸡。

无线电通报

请注意！请注意！

这里是列宁格勒广播电台《森林报》编辑部。

今天是9月22日，秋分。我们继续播报来自我国各地的无线电通报。

我们呼叫冻土带和原始森林，沙漠和高山，草原和海洋。

请告诉我们，现在，正当清秋时节，你们那里正在发生什么事。

请收听！请收听！

亚马尔半岛冻土带广播电台

我们这儿所有活动都结束了。山崖上夏季还是熙熙攘攘的鸟类集市，如今再也听不到大呼小叫和尖声啾唧。那一伙歌声悠扬的小鸟已经从我们这儿飞走。大雁、野鸭、海鸥和乌鸦也飞走了。现在这里一片寂静。只是偶尔会传来可怕的骨头碰撞的声音：这是公鹿在用角打斗。

清晨的严寒还在8月份的时候就已经显露了。现在所有水面都已封冻。捕鱼的帆船和机动船早已驶离。轮船还留在这里——沉重的破冰船在坚硬的冰原上艰难地为它们开辟前进的航道。

白昼越来越短。夜晚显得漫长、黑暗和寒冷。空中飞舞着雪花。

乌拉尔原始森林广播电台

一批批客人我们迎来了，又送走了，就这样迎来送往着。我们迎来了

会唱歌的鸣禽、野鸭、大雁，它们从北方，从冻土带飞来我们这里。它们飞经我们这里，逗留的时间不长：今天有一群停下来休息、觅食，明天你一看，它们已经不在了——夜间它们已经不慌不忙地上路，继续前进了。

我们正在为在这儿度夏的鸟类送行。我们这儿的候鸟大部分都已出发，跟随正在离去的太阳踏上遥远的秋季旅程——去往温暖之乡过冬。

风儿从白桦、山杨、花楸树上带走了发黄、发红的树叶。落叶松呈现出一片金黄，它们柔软的针叶失去了绿油油的光泽。每天傍晚，原始森林中笨重的美髯公松鸡便飞上落叶松的枝头，它们通身黑魆魆的，一只只停在柔软的金黄色针叶丛里，采食针叶填满自己的嗉囊。花尾榛鸡在黑暗的云杉叶丛间婉转啼鸣。出现了许多红肚皮的雄灰雀和灰色的雌灰雀，深红色的松雀，红脑袋的白腰朱顶雀、角百灵。这些鸟也是从北方飞来的，不过不再继续南飞了：它们在这儿过得挺舒坦的。

田野上变得空空荡荡。在晴朗的日子，在依稀感觉得到的微风的吹拂下，我们的头顶上方飘扬着一根根纤细的蛛丝。到处都还有开花的三色堇，在卫矛灌木的树丛上挂着美丽殷红的果实，像一盏盏中国灯笼似的。

我们快要挖完土豆了，在菜地里收起了最后一茬蔬菜——大白菜。我们把白菜贮进地窖准备过冬。在原始森林里，我们还将采集雪松的松子。

小兽们也不甘心落在我们后面。生活在地里的小松鼠——长着一根细尾巴、背部有五道鲜明的黑色斑纹的花鼠，往自己安在的树桩下的洞穴里搬进许多松子，还从菜园里偷了许多葵花子，把自己的仓库囤得满满当当的。红棕色的松鼠把蘑菇放在树枝上晾干，身上换上了浅蓝色的皮大衣。长尾林鼠，短尾田鼠，水鼩都用形形色色的谷粒囤满了自己的地下粮库。身上有花斑的林中星鸦也把坚果拖来藏进树洞里或树根下，好在艰难的日子里糊口。

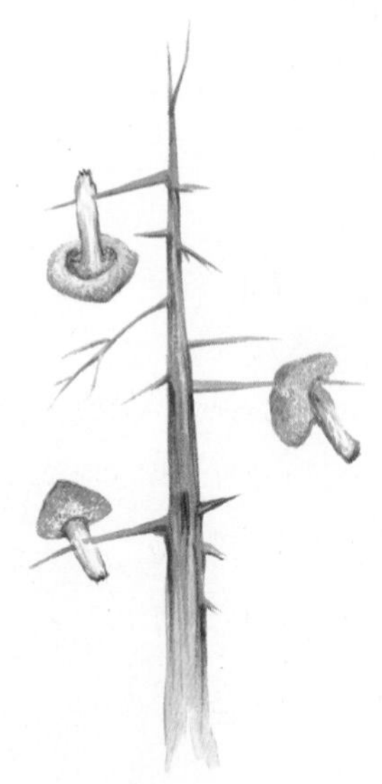

熊为自己物色好了做洞穴的地方，用爪子在云杉树上剥下内皮，给自己当褥子。所有动物都在作越冬准备，大家都在辛勤忙碌着。

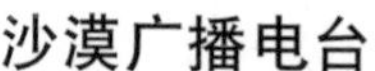
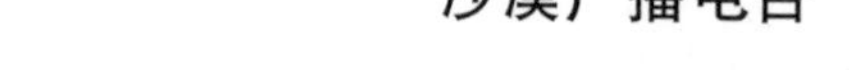

沙漠广播电台

我们这儿和春天一样，还是一派节日景象，充满了生机。

难熬的酷暑已经消退，下了几场雨，空气清新明净，远方的景物清晰可见。草儿重新披上了翠色，为逃避致命的夏季烈日而躲藏起来的动物又活动开了。甲虫、苍蝇、蜘蛛从土里爬了出来。爪子纤细的黄鼠爬出了深邃的洞穴，跳鼠仿佛小巧的袋鼠，拖着根长尾巴跳跃着前进。从夏眠中苏醒的草原红沙蛇又在捕食跳鼠了。不知从哪儿来了些猫头鹰、草原狐——沙狐和沙猫。健步如飞的羚羊也跑来了这里，有体态匀称、黑尾巴的鹅喉羚，也有鼻梁凸起的高鼻羚。飞来了各种鸟儿。

又像春季一样，沙漠不再荒凉，而是长满了绿色植物，充满了勃勃生机。

我们仍在继续做征服沙漠的斗争。数百数千公顷土地将被防护林带覆盖。森林将保护耕地免遭沙漠热风的侵袭，并将流沙制服。

世界屋脊广播电台

我们帕米尔的山岭是如此高峻，所以有“世界屋脊”之称。这里有高达 7000 米以上的山峰，直耸云霄。

在我们这里有同一时间之内夏季与冬季并存的地方——夏季在山下，冬季在山上。可现在秋季到了。冬季开始从山顶、从云端下移，迫使生活在那里的生灵也自上而下转移。最先从位于难以攀登的寒冷峭壁上的栖息地向下转移的是野山羊。它们在那里再也啃不到任何食物了，因为所有植

物都被埋到了雪下，冻死了。野绵羊也开始从自己的牧场向山下转移。

肥胖的旱獭也从高山草甸上消失了，夏天它们曾经那么活跃。现在，它们退到了地下：它们储存了越冬的食物，已吃得膘肥体壮，钻进了洞穴，用草把洞口堵得严严实实。鹿、狍子沿山坡下到了更低的地方。野猪在胡桃树、黄连木和野杏树的林子里觅食。山下的谷地里，幽深的狭谷里，突然间冒出了夏季在这里见不到的各种鸟类：角百灵、烟灰色的高山黄鹀、红尾鸲、神秘的蓝色鸟儿——高山鸫鸟。如今，一群群飞鸟从遥远的北国飞来这里，来到温暖之乡，来到这有各种丰富食物的地方。

现在，我们这儿的山下经常下雨。随着每一场连绵秋雨的降临，可以看出冬季正在由上及下地向我们走来：山上已经大雪纷飞了。

田间正在采摘棉花，果园里正在采摘各种水果；山坡上正在收采胡桃。

一条条山路上已盖满了深厚的积雪，无法通行了。

乌克兰草原广播电台

在匀整、平坦、被太阳晒得干枯的草原上，飞速滚动着一个个生气逢勃的圆球。它们很快就飞到了你眼前，将你团团围住，砸到了你的双脚，但是一点儿也不痛，因为它们很轻。其实这些根本不是球，而是一种圆球形的草，是由一根根向四面八方伸展的枯茎组成的球形物。它们就这样蹦跳着飞速地经过所有的土墩和岩石，落到了小山的后面。

这是风儿连根拔起的一丛丛风滚草的毛毛，风推着它们像轮子一样不断地向前滚，驱赶着它们在整个草原游荡，它们趁机一路撒下自己的种子。

眼看着燥热风在草原上的游荡不久也将停止。苏联人民旨在保护土地而种植的防护林带已经巍然挺立。它们拯救了我们的庄稼免遭旱灾。引自伏尔加—顿河列宁运河[①]的一条条灌溉渠已经修筑竣工。

现在我们这儿正当狩猎的最好季节。形形色色的生活在沼泽地和水上的野禽多得像乌云一样——有土生土长的，也有路经这里的，挤满了草原湖泊的芦苇荡，而在小山沟和未经刈割的草地里密密麻麻地聚集着一群小小的肥母鸡——鹌鹑。草原上还有数不清的兔子——尽是硕大的棕红色灰兔（我们这儿没有雪兔），狐狸和狼也多得是！只要你愿意，就端起猎枪打。只要你愿意，就把猎狗放出去！

城里的集市上有堆得像山一样的西瓜、甜瓜、苹果、梨子和李子。

请收听！请收听！

大洋广播电台

现在我们正在北冰洋的冰原之间航行，经过亚洲和美洲之间的海峡进入太平洋，或者，最好还是说驶入了大洋。先是在白令海峡，然后是鄂霍茨克海，我们开始经常遇见鲸。

世上竟有如此令人惊奇的野兽！你只消想一想：多么庞大的身躯，多么惊人的体重，又该有多大的力气！我们见到了一头被拖到一艘巨大的捕鲸船甲板上的鲸—— 一头须鲸。它身长21米：得把6头大象彼此首尾相接排成一行才抵得上！它的嘴里容得下连桨手在内的整条小船。

它的心脏重达148千克，重量抵得上两个成年人。它的总重量是55吨。如果要称它的重量而把这头野兽放到天平的一个秤盘上，那么另一头的秤盘上就得至少爬上1000个人——男人、女人和儿童都上去，也许这样还不够呢。何况这条鲸还不是最大的，有一种蓝鲸长达33米，重量超过100吨。

它的力量非常大，曾有一头被鱼镖捕获的鲸拖着扎住它的捕鲸船一连

① 俄罗斯境内连接伏尔加河和顿河的通航运河，长101千米，水深3.5米以上，1952年起通航。

游了几昼夜，更糟糕的是它钻到了水下，捕鲸船也跟着石沉大海。

这是以前发生过的事了。现在情况可大不相同了。我们难以相信横卧在我们面前的这个巨型怪物——拥有如此可怕的力量、一个小山似的活生生的肉体，几乎在瞬间就被我们的捕鲸手杀死了。

在不久以前，捕鲸还是用渔船上抛出的短矛——鱼镖来完成的。它是由站在船头的水手用手抛向野兽的。后来开始从轮船上发射装有鱼镖的大炮来捕鲸。这头鲸就是被这样的鱼镖击中的，不过致它于死地的不是铁器，而是电流：鱼镖上拴着两根连接着船上直流发电机的导线。在鱼镖像针一样扎进动物巨大躯体的瞬间，两根导线连通，发生了短路，于是强大的电流击中了鲸鱼。巨兽一阵颤抖，两分钟之后便一命呜呼了。

我们在白令岛旁边发现了黄貂鱼，在梅德内岛附近发现了和自己的孩子嬉戏的海獭——大型的海生水獭。这些能提供珍贵毛皮的野兽几乎被日本强盗和沙皇时代的贪婪之徒捕尽杀绝了，后来由于在政府干预下受到了极为严格的法律保护，如今在我们这儿数量已迅速增加。

在堪察加半岛的海边我们见到了个头与海象相当的北海狮。

但是自从看过鲸以后，所有这些动物在我们眼里就显得微不足道了。

现在已是秋季，鲸正离开我们游向热带温暖的水域。它们将在那里产下自己的幼仔。明年母鲸将带着自己的子女回到我们这里，回到我国太平洋和北冰洋的水域，吃奶的幼鲸个头比两头奶牛还大。在我们这儿幼鲸是受保护的。

我们来自全国各地的无线电通报到此结束。我们的下一次，也是最后一次通报将在 12 月 22 日举行。

射 靶

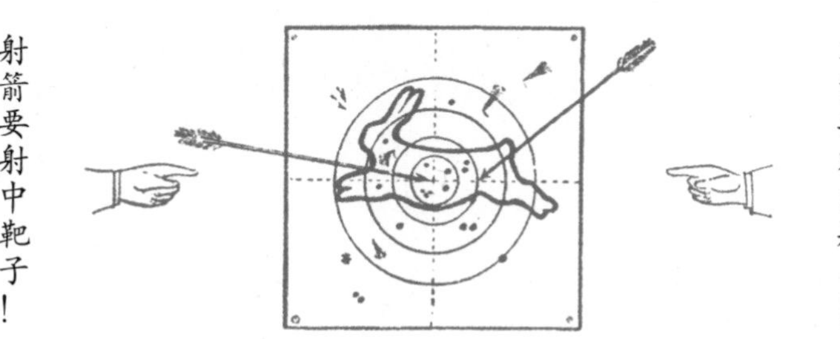

竞赛七

1.按照日历，秋季始于哪一天？

2.什么动物在秋季落叶时节还在产仔？

3.哪些树的叶子在秋季变红？

4.是否所有的候鸟都会在秋季离开我们飞向南方？

5.为什么老的公驼鹿被叫做“杈角兽”？

6.集体农庄的庄员把禾垛围起来防范什么野兽？

7.什么鸟在春天里唠叨：“买了外套卖皮袄”，而在秋天唠叨：“卖了外套买皮袄”？

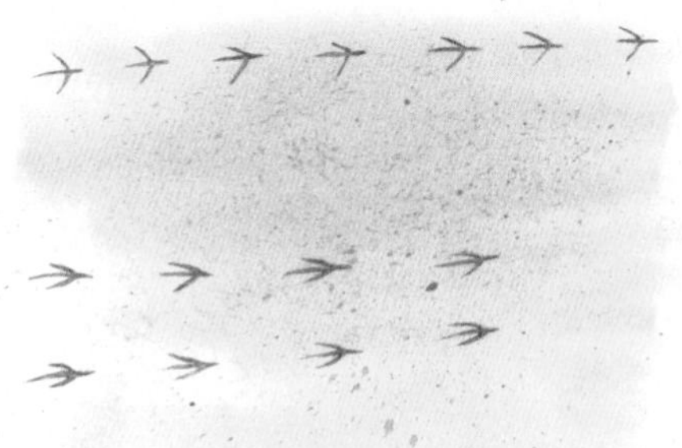

8.这里画着两种鸟在泥地上留下的脚印。其中一种鸟生活在树上，另一种生活在地上。如何根据足迹判断它们是什么鸟，分别在何处生活？

9.哪一种向鸟射击的方法更准确——“直撞枪口”（也就是鸟飞的方向正对枪口）还是“追打”（也就是枪口对着鸟飞走的方向）？

10.如果乌鸦在森林里某一处的上空呱呱叫着盘旋不去，这意味着什么？

11.为什么一个好猎人从来不向母的山鹑和松鸡开枪？

12.这里画的是哪一种动物前趾的骨骼？

13.蝴蝶秋季在何处安身？

14.太阳下山以后猎人射击野鸭时面朝何方？

15.什么情况下人们这样说鸟：“飞到海的对面去找死？”

16.给你猜个谜：挥手撒向大地，今年埋入土里，明年变个样子钻出来。（谜语）

17.小小马儿跑得快，离开陆地到海外，黑黑的背脊，白白的肚皮。（谜语）

18.坐着的时候绿绿的，飞行的时候黄黄的，落地的时候黑黑的。（谜语）

19.长长细细，消失在草丛里。（谜语）

20.一身灰皮牙齿尖，奔来跑去在荒原，找小牛和孩子当美餐。（谜语）

21.小小偷儿把灰皮袄穿，在田间地头到处窜，忙忙碌碌把粮食捡。（谜语）

22.松林高地小老头，褐色帽子头上戴。（谜语）

23.包在皮里没有用，脱去外皮都有用。（谜语）

24.自己不想拿，也不许乌鸦偷。（谜语）

快来收养无人照看的小兔子吧

现在在森林里和田野里还可以徒手捉住小兔子，因为它们的脚还短，跑得不太快。应当用牛奶饲养它们，外加点鲜菜叶和其他蔬菜。

提醒

饲养小兔子不会使你们感到寂寞无聊：所有的兔子都是好鼓手。白天，小兔子安安静静地待在箱子里；可到了夜里，只要它用爪子一敲打箱壁，准保你会醒过来！要知道兔子是夜游动物。

请把窝棚搭起来

请在河边、湖边和海边搭起窝棚。在朝霞和晚霞升起的时候钻进窝棚里。静静地在里面待着。在候鸟迁徙的季节守在窝棚里，可以看见许多有趣的事情：野鸭从水里爬出来，坐到了岸上，距离是那么近，甚至可以看清每一片羽毛；鹬在四周穿梭往来；潜水鸟在不远处扎着猛子，游来游去；苍鹭飞来这里，停在了旁边。你还能见到夏季我们这里不常见的各种鸟类。

捕鸟人，请到森林里去，到花园里去吧！

请在树上挂上捕鸟器，清理好空地，用以放置捕鸟网和捕鸟夹。现在正是捕捉鸣禽的好时节。

测试六

“火眼金睛”称号竞赛

谁到过这里？

乡村里的一个池塘，这里并没有饲养家鸭。可是当夜里人们熟睡的时候，野鸭有没有光顾这里呢？何以见得？

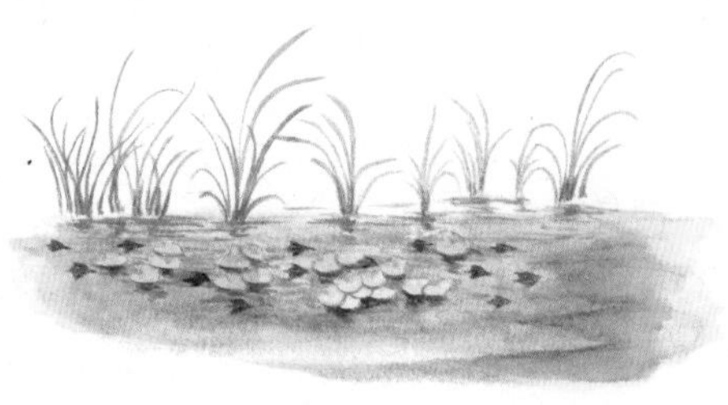

图 1

图 2

林间路上的水洼边上有动物经过——上面留下了十字形的脚印和圆点。是什么动物呢？

森林里有两棵被动物啃过的山杨，但啃的方式不同。是谁做的坏事？谁到过这里？

图 3

图 4

有一种动物想出了办法，从肚子上开始把刺猬整个儿吃了，把皮丢在了这里。是什么动物干的？

森林报

No.8

仓满粮足月

（秋二月）

第八期导读

一年——分12个月谱写的太阳诗章

10月——落叶，泥泞，准备越冬的时节。

扫荡残叶的秋风刮尽了林木上最后的枯枝败叶。秋雨绵绵。一只停栖在围墙上的湿漉漉的乌鸦感到寂寞无聊。它很快也要踏上旅途：在我们这儿度过夏天的灰色乌鸦已悄悄地成群结队地向南方迁徙，同样在悄悄地取而代之的是在北方出生的乌鸦。原来乌鸦也是一种候鸟。在遥远的北方，乌鸦是最先飞临的候鸟——就像我们这儿的白嘴鸦——又是最后飞离的候鸟。

秋季在做完第一件事——给森林脱去衣装以后，开始着手做第二件事：将水冷却再冷却。早晨，水洼越来越频繁地被脆弱的薄冰所覆盖。河水和空气一样，已经没有了生气。夏季在水面上显得鲜艳夺目的那些花朵，早就把自己的种子坠入水底，把自己长长的花柄伸到了水下。鱼儿钻进了河底的深坑里，在水不会结冰的地方过冬。长着柔软尾巴的北螈在水塘里度过了整个夏季，现在爬出水面，爬到旱地里，在树根下的苔藓里过冬。静止的水面已经结冰。

旱地的冷血动物也快冻僵了。昆虫、老鼠、蜘蛛、多足纲生物都不知在哪儿躲藏了起来。蛇钻进了干燥的坑里，盘成一团，身体开始徐徐冷却。青蛙钻进了淤泥，小蜥蜴躲进了树墩上脱开的树皮里，在那里昏昏睡去……野兽呢，有的换上了暖和的毛皮大衣；有的在洞穴里构筑自己的粮仓；有的为自己营造洞穴。都在为过冬做准备……

在阴雨连绵的秋季，室外有7种天气现象：细雨纷飞，微风轻拂，风折大树，天昏地暗，北风呼啸，大雨倾盆，风扫落叶。

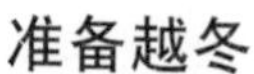

准备越冬

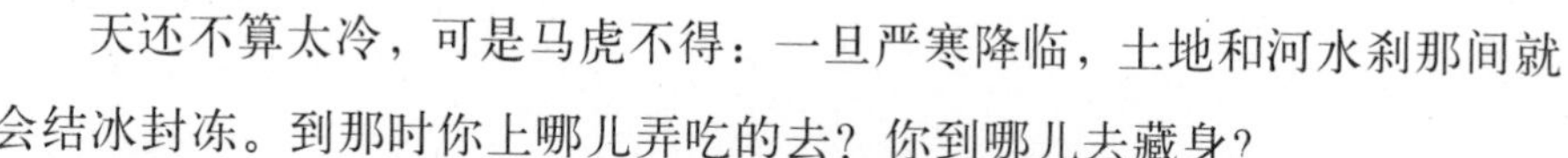

天还不算太冷，可是马虎不得：一旦严寒降临，土地和河水刹那间就会结冰封冻。到那时你上哪儿弄吃的去？你到哪儿去藏身？

森林里，每一种动物都有自己准备越冬的办法。

有的到了一定时候张开翅膀远走高飞，避开了饥饿和寒冷；有的留在原地，抓紧时间补充自己的粮仓，贮备日后的食物。

尤其卖力地搬运食物的是短尾巴的田鼠。许多田鼠直接在禾垛里或粮垛下面挖掘自己越冬的洞穴，每天夜里从那里偷窃谷物。

通向洞穴的通道有五六条，每一条通道都有自己的入口。地下有一间卧室，还有几间粮仓。

只有在冬季最寒冷的时候田鼠才开始冬眠。所以它们要储备大量的粮食。在有些田鼠的洞穴里已经贮存了四五千克的上等谷物。

小的啮齿动物在粮田里大肆偷窃。我们应当尽早对此采取御防措施。

越冬的小草

树木和多年生草本植物都作好了越冬准备。一些一年生的草本植物已经撒下了自己的种子。但是并非所有的一年生草本植物都是以种子的形式越冬的。有些已经发芽。相当多的一年生杂草在重新锄松的菜地里已经发了芽。在光秃秃的黑土地上看得见一簇簇锯齿状的荠菜叶子，还有样子像荨麻的野芝麻那毛茸茸、紫红色的小叶子，小巧而散发着香味的洋甘菊，三色堇，遏蓝菜，当然还有讨厌的繁缕。

所有这些小植物都做好了越冬的准备，将生命延续到来年秋季。

■ H · 帕甫洛娃

哪种植物及时做了什么

一棵枝叶稀疏的椴树像一个棕红色的斑点，在雪地里十分显眼。棕红色并非来自它的树叶，而是附着在果实上的翅状叶舌。椴树的大小枝头都挂满了这种翅状果实。

不过这样打扮的并非只是椴树一种植物。就说高大的树木山杨吧，在它上头挂了多少干燥的果实呵！细细长长、密密麻麻的一串串果实挂在枝头，犹如一串串豆荚。

但是最美丽的恐怕要数花楸了：它的枝头到现在还保留着一串串沉甸甸的、鲜艳的浆果。在小檗这种灌木上面也能看见它的浆果。

卫矛的灌木上仍然点缀着迷人的果实。它和有着黄色花蕊的玫瑰花看起来一模一样。

现在还有多少种树木还没有来得及在冬季之前安排好自己的后代呵。

就连白桦树的枝头也还看得见它那干燥的葇荑花序，其中隐藏着翅状果实。

赤杨的黑色球果尚未落尽。但是白桦和赤杨却及时为春季的来临做好了准备——挂上了葇荑花序。但等春天来临，那些花序就伸展开来，推开鳞片，绽放花朵。

榛树也有葇荑花序，粗粗的，灰褐色，每一根枝条上有两对。榛树上早就找不到榛子了。它什么都及时做好了：不仅和自己的子女道了别，还为迎接春天做好了准备。

■ H · 帕甫洛娃

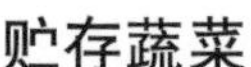

贮存蔬菜

短耳朵的水鮃夏天在郊外避暑，住在河边。那里有它筑在地下的一间卧室。从卧室向下斜伸出一条通道，直达水边。

现在水鮃已经筑就了一个舒适温暖的越冬小屋，它远离水边，在有许多草丘的草甸上。地下有多条通道通往它的居室，长度有100步或更长。

它的卧室里铺上了柔软温暖的干草，就在一个大草丘的下面。仓库与卧室有特殊通道相连。仓库里按严格的次序——按品种——堆放着水鮃从田间地头偷来、搬来的谷物、豌豆、葱头、豆子和土豆。

松鼠的干燥场

松鼠从自己筑在树上的多个圆形窝里拨出一个来用做仓库。它在那里存放收集来的坚果和球果。

此外松鼠还采蘑菇——牛肝菌和鳞皮牛肝菌。它把它们插在松树细细的断枝上晒干。冬季它就在树枝间游荡，用干燥的蘑菇充饥。

活粮仓

姬蜂为自己的幼虫找到了极好的仓库。它拥有一对飞得很快的翅膀，向上翘的胡须下面生有一双锐利的眼睛。纤细的腰分隔了它的胸脯和腹部，在腹部末端有一根长而直的细刺。

夏季，姬蜂找到一条大而肥的蝴蝶幼虫，就毫不犹豫地扑到它身上，把自己锐利的刺扎进了它的皮肤。它用刺在幼虫身上开了一个小孔，并在里

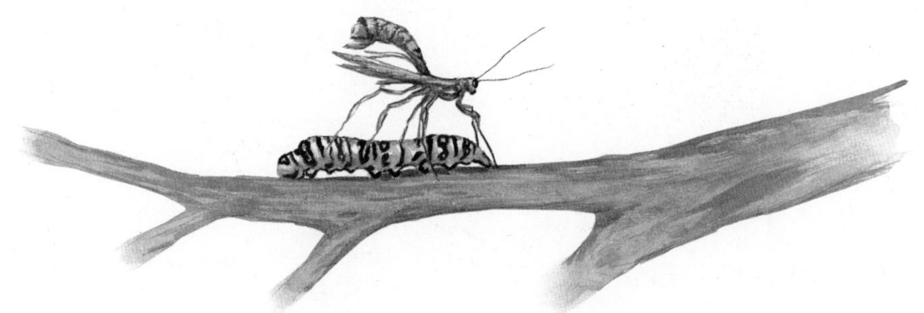

面产下自己的卵。姬蜂飞走了，蝴蝶的幼虫不久也从惊吓中恢复了元气。它开始继续吃树叶，秋季来临时，它就做个茧子把自己包起来，变成了蛹。

就在这时，蛹体内的蜂卵孵化成了幼虫。身居坚韧的茧内，幼虫感到温暖、安定，现成的食物——蝴蝶幼虫也足够它吃一年。

夏季再度来临，蝶蛹的茧子打开了，但是从中飞出的不是蝴蝶，而是干瘦强健、身躯坚硬、黑黄红三色的姬蜂。这可是我们的朋友，因为它消灭了幼小的害虫。

本身就是一座粮仓

许多野兽并不为自己修筑任何专门的粮仓。它们本身就是一座活粮仓。

在秋季里它们不停地吃啊吃啊，吃得肥头大耳，胖得不能再胖，于是一切营养都在这里了。

脂肪就是储存的食物。它形成厚厚的一层沉积于皮下，当动物没有食物时就渗透到血液里，犹如食物被肠壁吸收一样。血液则把营养带到全身。这么做的有熊、獾、蝙蝠和其他在整个冬季沉沉酣睡的所有大小兽类。它们把肚子塞满了，就去睡觉了。

此外，它们的脂肪还能保暖：阻止寒气渗透到身体里。

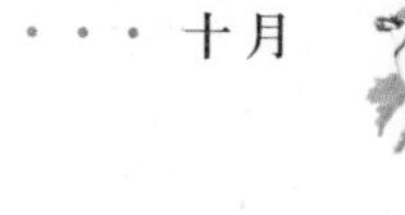

林间纪事

贼偷贼

论狡猾和偷盗，森林里的长耳猫头鹰算得上高手，可是居然还有个更厉害的小偷，能牵着它的鼻子走。

长耳猫头鹰的样子像雕鸮，但是个头要小些。它的嘴是钩形的，头上的羽毛向上竖着，眼球突出。无论夜间有多黑，这双眼睛都能一览无余，这对耳朵什么动静都不会放过。

老鼠在枯叶堆里窸窸窣窣一响，猫头鹰就从天而降了。嗖的一声，老鼠就被它带到了空中。一只兔子正快速穿过林间空地，黑夜里的盗匪已经来到它头顶。嗖的一声，兔子已经在利爪中挣扎了。

猫头鹰把猎获的一只只老鼠搬回自己的树洞里。它自己不吃，也不给别的猫头鹰吃：它要储藏起来过冬用。

白天它待在树洞里守着贮备的食物，夜间就飞出去捕猎。它不时回来一趟，看看东西是不是都在。

忽然，猫头鹰开始觉察：它的贮备似乎变少了。洞主眼睛很尖：它没学过数数，却会用眼睛估算多少。

黑夜降临了，猫头鹰感到饥肠辘辘，便飞出去捕猎。

等它回来一看，一只老鼠也没有了！这时它发现树洞底部有一只身长和家鼠相仿的灰色小动物在蠕动。

它想用爪子抓它，可那家伙嗖地一下从小孔里钻了下去，已经在地上飞也似的跑开了。它的嘴里还叨着一只小老鼠。

猫头鹰跟着追了过去，眼看要追上了，可一旦看清楚小偷的模样，它就害怕了，没再追讨自己的猎物。原来，小偷是一只凶猛的小兽——伶鼬。

伶鼬以劫掠为生，尽管个头很小，却极其勇猛灵巧，甚至敢和猫头鹰叫板。一旦它用牙齿扎住猫头鹰的胸脯，是无论如何也不会松口的。

夏季又来临了吗?

天气变幻无常：有时寒气逼人，冷风刺骨；有时突然出了太阳，天气变得和煦宜人，一片安宁。这时会让人觉得突然间夏季又回来了。

鲜花从草丛下面露出了头，有黄色的蒲公英和报春花。蝴蝶在空中飞舞；一群群蚊子飞舞着打转，像一个个轻飘飘的小柱子。不知从什么地方跳出一只小小的鸟儿，它小巧活泼，停在树根附近，尾巴一翘就唱了起来，歌声是那么热烈响亮！

一只姗姗来迟的棕柳莺停在高高的云杉上，唱起了哀怨而委婉的歌，那么轻柔，那么忧伤，仿佛落入水中的雨滴：“滴——滴——嗒！滴——滴嗒！”[①]这时你会忘记：冬季已经近在眼前了。

受惊扰的青蛙

池塘连同住在里面的全部生灵都被冰封住了。天气一暖，突然又都解冻了。集体农庄的庄员们决定对塘底稍稍清理一下。他们从池塘里挖出一堆堆淤泥，就走了。

可太阳却一个劲儿地照着，烤着。从一堆堆淤泥里冒出了蒸汽。忽然淤泥动了起来：这时有一团淤泥跳离了泥堆，满地乱蹦起来。这是怎么回事?

① 这是模拟声音的词，俄语中正合“阿姨”、“姑妈”或“婶婶”（外语中为同一词）这个词，意译是很难传达的，只能先服从音译。

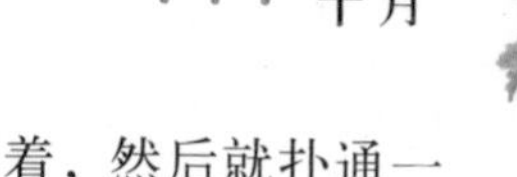

一个小泥团里伸出了尾巴，在地上一颤一颤地抽搐着，然后就扑通一声跳回了池塘的水里！它后面又有第二个，第三个。

另一些泥团伸出了小小的腿，开始跳离池塘。真是怪事！

其实这不是泥团，而是浑身裹满淤泥的鲫鱼和青蛙。

它们钻到池塘底部去过冬。农庄庄员们却把它们和淤泥一起扔到了池塘外面。太阳烤暖了土堆，鲫鱼和青蛙就苏醒了。苏醒以后它们就跳跃起来：鲫鱼跳回了池塘，青蛙则要为自己寻找一个更为安宁的地方，免得别人再扰了它们的好梦。

于是几十只青蛙仿佛约定好了似的，都跳向了同一方向：在打谷场和大路的那一边，有另一个更大更深的池塘。它们已经来到路边。

不过秋日和煦的阳光是靠不住的。

阴沉沉的乌云把太阳遮住了，突然刮起了凛冽的寒风。赤身裸体的小小旅行者冻得受不了了。青蛙勉强跳了没几下，就直挺挺地躺下了。腿脚无法动弹了，血液凝固了——青蛙一下子冻死了。

青蛙再也跳不起来了。

不管它们现在有多少只，通通冻死了。

大家都头朝一个方向躺着：都向着大路那一边，那里有一个大池塘，那儿有温暖、救命的淤泥等着它们……

红胸脯的小鸟

夏天，有一次我在林子里走，听到稠密的草丛里有东西在跑。起先我吓得打了个哆嗦，接着开始仔细地四下里搜寻。我发现一只小鸟被草丛绊住了脚。它个头不大，身体是灰色的，胸脯是红色的。我捧起这只小鸟，如获至宝地把它带回了家。

在家里，我给它喂了点儿东西。它吃了点儿，显得高兴起来。我给它做了个笼子，捉来小虫子喂它。整个秋季它都住在我家。

有一次我出去玩儿，没关好笼子，我的小鸟儿被猫吃了。

我非常喜欢这只小鸟，为此还哭了鼻子，但是又有什么办法呢！

■ 驻林地记者　格·奥斯塔宁

我抓了只松鼠

松鼠每年都操心这样一件事：夏天把食物储藏起来，冬天就可借此果腹。我亲自观察了一只松鼠是如何从云杉树上摘取球果，并拖进树洞的。于是，我们砍倒了这棵树，当我们从里面拖出松鼠时，发现树洞里有许多球果。我们把松鼠带回家，关进了笼子。一个小男孩把手指伸进笼子，松鼠一口就把他的手指咬破了——它就是这个德性！我们带给它许多云杉球果，它吃得津津有味的。不过它最爱吃的还是核桃。

■ 驻林地记者　H·斯米尔诺夫

我的小鸭

我妈妈把三个鸭蛋放到了母火鸡的肚子底下。

三个星期后，母火鸡孵出了一群小火鸡和三只小鸭。在它们的身子骨还不结实的时候，我一直把它们放在暖和的地方。一天，我把母火鸡和小鸡小鸭第一次放到了户外。我们家房子旁边有一条水渠。小鸭马上一扭一扭地跳进水渠游了起来。母火鸡跑了过来，慌里慌张地大声叫着："噢！噢！"它看到小鸭安安稳稳地泅着水，对它理都不理，才放了心，领着自己的小鸡走了。

小鸭游了一会儿，就冻得受不了了，便从水里爬了出来，一面叽叽叫着，一面瑟瑟抖着，可是没有取暖的地方。

我把它们捧在手里，盖上毛巾，带回了房间。它们立马放心了，就这样在我身边住了下来。

一天清早，我们把它们放到了户外，它们立刻下了水。等感到冷了，就跑回家来。它们还飞不上门口的台阶，因为翅膀还没有长出来，所以就可怜兮兮地叽叽叫着。有人把它们放上了台阶，它们就直接向我的床边奔来，

排成一行站着，伸长脖子又叫了起来。而我正睡着呢。妈妈把它们拿到床上，它们就钻进我被子下面，也睡着了。

快到秋天的时候它们长大了些，可我却被送进城上学去了。我的小鸭久久地思念着我，叫个不停。得知这个情况，我掉了不少眼泪。

■ 驻林地记者　维拉·米谢耶娃

捉摸不透的星鸦

我们这儿有一种乌鸦，体型比一般的灰色乌鸦小，全身都有花点。我们这儿把它们称为星鸦，在西伯利亚则称为松鸦。

它采集过冬吃的球果，藏在树洞里和树根下。

冬季里星鸦居无定所，从一处转到另一处，从一个森林转到另一个森林。迁移过程中它们就享用这些贮备的食物。

它们吃的是自己贮备下的冬粮吗？事情是这样的：每一只星鸦所享用的都不是自己储藏的食物，而是自己的同族储藏的。它来到自己平生从未到过的一个树林，就立刻开始寻找其他星鸦贮备的食物。它向每一个树洞里窥探着，在里面找寻球果。

它到树洞里找食物还好理解。可是星鸦在冬天怎么找寻别的星鸦藏在树木和灌木丛根下的球果呢？要知道整个大地已经被白雪覆盖了！但是星鸦飞到一丛灌木前，扒开下面的积雪，总是能准确无误地找到其他星鸦的贮备。它怎么知道在成千上万棵灌木丛和大树中，恰恰这丛灌木下藏有球

果呢？这一点我们还不得而知。

要弄清星鸦在一模一样的覆盖物下面寻找并非自己储藏的食物时，究竟靠的是什么，得下工夫琢磨琢磨。

害怕……

树木落尽了叶子，森林显得稀疏起来。

林中的一只小雪兔趴在一丛灌木下，身子紧贴着地面，只有一双眼睛在扫视着四周。它心里害怕得很。周围不断传来窸窸窣窣、噼里啪啦的声音。可别是鹞鹰的翅膀在树枝间扇动的声音吧？莫非是狐狸的爪子在落叶上簌簌走动？这只兔子正在变白，全身开始长出一个个白色斑点。再等等，等到下雪就好了！周围是那么亮，林子里变得色彩很丰富，满地都是黄色、红色、褐色的落叶。

要是突然出现猎人怎么办？跳起来？逃跑？怎么逃？脚下的枯叶像铁片一样发出脆响，自己的脚步声就能把自己吓个半死！于是，兔子蜷缩在树丛下，贴着地面的苔藓，紧挨着一个桦树墩趴着，一动也不动，惊恐的小眼睛扫视着四周。好害怕呀……

“巫婆的扫帚”

现在，当树木落尽了叶子，你可以看见很多夏季看不到的东西。你往远处看去，满眼都是白桦，上面似乎坠满了白嘴鸦的窝。可如果你走近一看，这根本不是鸟巢，而是由伸向不同方向的细细的枝条构成的黑圆团，也就是“巫婆的扫帚”。

回想一下任何一个有关老妖婆或巫婆的故事吧。老妖婆乘着自己的石臼在空中飞行，用掸子把自己沿途留下的痕迹掸去。巫婆从烟囱里骑着一把扫帚往外飞。无论妖婆还是巫婆，都离不开扫帚或掸子。于是她们就把这样的疾病降到各种树上，使它的枝头长出类似扫帚那样难看的一团团树枝。一些快乐的讲故事的人就是这么说的。

从科学角度讲，这些树枝到底是怎么回事呢？

其实，枝头的这些团状树条是一些病枝，而病枝的产生是由于蜱螨和真菌造成的。

颗粒状的蜱螨非常小也非常轻，以至于风儿可以带着它们满林子跑。蜱螨一落到树枝上，就会爬到幼芽上，在那里安营扎寨。正在发育的幼芽是即将形成的嫩枝和新茎。蜱螨不会碰它们，只吸食幼芽的汁液。由于蜱螨的叮咬和分泌物，幼芽开始得病。等年轻的幼芽萌发的时候，它开始以神奇的速度生长，相当于正常速度的6倍。

病态的幼芽长成短短的嫩枝，后者又立刻长出旁枝。蜱螨的子孙又爬上了嫩枝，使新枝继续分叉。分叉现象就这样不断地继续下去。于是在原先的幼芽上长成了蓬蓬松松、形象丑陋的“巫婆的扫帚”。

如果在幼芽上飘落了孢子——寄生类真菌的胚芽，并开始在上面生长，也会出现相同的情况。“巫婆的扫帚”通常出现在白桦、赤杨、山毛榉、鹅耳枥、松树、云杉、冷杉及其他乔木和灌木上。

活纪念碑

植树造林活动正进行得热火朝天。

在这个愉快而有益的活动中，孩子们的表现丝毫不比成年人逊色。他们小心翼翼地挖着，以免伤着了树根，将休眠的小树移栽到新的地方。到春季，小树苏醒了，就会开始生长，那会给人们带来前所未有的欢乐和益处。每一个栽种和培育了哪怕只是一棵小树的孩子，都相当于在自己的一生中为自己树立了一座极为美妙的绿色纪念碑——一座永远活着的纪念碑。

孩子们出了个极好的主意：在花园和学校的园地四周也栽上活的篱笆。栽得密密层层的灌木丛和小树不仅可以抵御沙尘和风雪，而且会引来许多小鸟：它们在这儿找到了可靠的藏身之所。夏天金翅雀、赤胸朱顶雀、莺

和其他会唱歌的朋友将在这些篱笆内编织自己的小窝，孵育小鸟，勤勉地保护花园和菜园免遭有害的毛毛虫和其他昆虫的侵害。它们还会使我们的耳朵享受到欢乐的歌声。

有几位少年自然界研究小组的成员夏天去了克里米亚，从那里带回一种名叫“列瓦”的有趣的灌木的种子。到春季，这些种子将长成出色的活篱笆。我们必须在上面挂上告示牌：“请勿触碰！”这些高度戒备的灌木不允许任何人穿越自己严密的队列：列瓦像刺猬一样会扎人，像猫一样会抓人，又像荨麻一样灼人。让我们拭目以待，哪些鸟儿会选择这位严厉的守卫作为自己的保护神。

鸟类飞往越冬地

（续完）

并非如此简单！

看起来这似乎是再简单不过的事：既然长着翅膀，想什么时候飞、飞往什么地方，就飞呗。在这儿待着已经又冷又饿，那就振翅上天，稍稍往比较温暖的南边挪动一下。如果那里又变冷了，就再飞远点儿。就在随便某个温暖的地方越冬吧，只要那里的气候适合你，还有充足的食物。

可事实并非如此：不知为什么我们的朱雀一直要飞到印度，而西伯利亚的燕隼却要飞越印度和几十个适宜越冬的炎热国家，直至澳大利亚。

这就表明驱使我们的候鸟飞越崇山峻岭，飞越浩淼海洋而去往遥远国度的，并非简单地由于饥饿和寒冷，而是鸟类身上不知来自何处的某种不容违忤、无法抑制的感情。不过……

众所周知，我国大部分地区在远古时代不止一次遭遇过冰川的侵袭。死神般的冰川以汹涌澎湃之势徐徐地覆盖了我国所有广袤的平原，经历数百年的徐徐退缩后又卷土重来，再将所有生命都埋葬在自己身下。

鸟类凭一双翅膀幸免于难。首先飞离的那些鸟类占据了冰川最边缘的海岸，随后启身的飞往较远的地方，再往后的一批飞往更远的地方，仿佛

在做着跳背游戏似的。当冰川开始退缩时，被它逼离自己生息之地的鸟类便急忙返程，飞回故乡。最先飞回的是当初飞往不远处的那些鸟类，然后是随之而行的那些，最后是飞得最远的那些：跳背游戏按相反的顺序进行。这个游戏进程极其缓慢，要经历数千年的时间！在如此漫长的时间间隔之中，鸟类完全有可能形成一种习性：秋季，当寒流降临之时，飞离自己的生息之地；待到来年春回之时，与阳光一起重返故乡。这样的习性一旦形成，便如常言所谓，"铭心刻骨"，永远保留下来了。所以候鸟每年要自北而南迁徙。下面的事实似乎足以证明上述观点：在地球上未曾被冰川覆盖过的地方，几乎没有鸟类大规模迁徙的现象。

其他原因

然而鸟类在秋季并非只飞往南方的温暖之乡，而是飞往其他各个方向，甚至飞往最寒冷的北方。

有些鸟类飞离我们这里，仅仅是因为当大地为深厚的积雪所覆盖，水面被坚冰所封冻的时候，它们没有东西吃。一旦积雪消融，大地初露，我们的白嘴鸦、椋鸟、云雀便应时而至了！一旦江河湖泊初现融冰的水面，鸥鸟、野鸭也应时而至了。绒鸭无论如何不会留在坎达拉克沙自然保护区，因为白海在冬季被厚厚的冰覆盖了。它们常常被迫往北方迁移，因为那里有

墨西哥湾暖流经过，整个冬季海水不冻。

假如你在仲冬时节乘车从莫斯科向南旅行，那你很快——那已经是在乌克兰境内了——会见到白嘴鸦、云雀和椋鸟。与被认为是在我们这儿定居的那些鸟儿——山雀、红腹灰雀、黄雀相比，所有这些鸟儿只不过稍稍往远处挪了挪地方。因为许多定居的鸟类也不是老待在一个地方，而是迁移的。除非是城里的麻雀、寒鸦和鸽子，或森林和田野里的野鸡，长年在一个地方居住；其余的鸟类都是有的往近处移栖，有的往稍远的地方移栖。那么如何判断哪一种鸟是真正的候鸟，哪一种只不过是移栖的鸟呢？

就说朱雀，这种红色的金丝雀吧，就不是移栖鸟。还有黄莺也一样：朱雀飞往印度，黄莺则飞往非洲过冬。似乎它们并非如大多数鸟类那样，是由于冰川的推进和退缩成为候鸟的，而是另有原因。

请你看看朱雀，看看它的公鸟，它就像一只麻雀，但是脑袋和胸脯是那么红艳，简直叫你惊叹！还有更令人惊诧的，那就是黄莺：全身金红，长着一对黑翅膀。你不由得会想："这些小鸟儿怎么打扮得这么鲜艳靓丽？在我们北方，它们该不会是来自遥远的热带国家的客人吧？"

似乎极有可能就是这么回事！黄莺是典型的非洲鸟类，朱雀则是印度鸟类。也许情况是这样的：这些种类的鸟曾出现过过剩的现象，它们的年青一代被迫为自己寻找能生活和生儿育女的新地方。于是它们开始向北方迁移，那里的鸟类住得不那么拥挤。夏季那里不冷，即使新生的光着身子的小鸟也不会挨冻。而等到天气寒冷、无以果腹的时候，可以迁移到故乡：这时候雏鸟也已孵出来了，大家和睦融洽地一起生活——它们不会驱逐自己的同族！到了春天，又往北方飞迁。就这样来来往往，经历了千秋万代……

就这样迁徙的路线成型了：黄莺向北，越过地中海飞向欧洲；朱雀自印度向北，越过阿尔泰山和西伯利西，然后向西，越过乌拉尔继续西迁。

关于某些鸟类为了找到新的栖息地而形成迁徙习性的观点也有例证：就拿朱雀来说吧，可以说在最近几十

年内，我们眼睁睁地看着它们越来越远地向西迁徙，直至波罗的海沿岸，最后却依然飞回自己的故乡印度越冬。有关候鸟迁徙成因的这些假设向我们做出了某种解说。然而有关候鸟迁徙的问题依旧是一个未解之谜。

一只小杜鹃的简史

一只小杜鹃诞生在我们这儿：列宁格勒近郊，泽列诺戈尔斯克市的一座花园[①]，一只红胸鸲的窝里。

且别问它是如何孤身来到一棵老云杉树根旁的这个舒适小窝的，也别问红胸鸲妈妈和红胸鸲爸爸——小杜鹃的养父母在喂养这个个头比它们大三倍的饕餮之徒时，有多么辛苦，付出了多少关爱，心里充盈着怎样的为人父母的喜悦之情。有一次，当花园的主人走到它们窝边，从中掏出羽翼渐丰的小杜鹃，仔细端详了一会儿又放回去的时候，可把红胸鸲夫妇吓坏了。在小杜鹃的左翅上明显地露出一小块白色羽毛的斑记。

红胸鸲总算把自己收养的孩子养大了。但是即使飞出窝后，再见到养父母时，小杜鹃仍然会张开红中带黄的小嘴，嘶哑地叽叽讨食。

10月初，花园里的大部分树木只剩下一副副骨架，唯有一棵橡树和两棵老枫树尚未脱去鲜艳的树叶。这时小杜鹃消失了，就如大约一个月前所有的成年杜鹃从我们的森林里消失一样。和我们这儿所有的杜鹃一样，这一年的冬季小杜鹃是在南部非洲度过的。夏季飞来我们这儿的杜鹃是那里出生的。

而在今年夏季——这是不久以前的事——花园的主人发现老云杉树上有一只雌杜鹃。他担心它会拆毁红胸鸲的窝，就用气枪打死了它。

在杜鹃左翅上明显地有一块白色斑痕。

我们正在揭开谜底，但秘密依旧

我们关于鸟类迁徙成因的推测也许是对的，但如何解释下列问题呢？

---

① 位于今彼得堡西北50千米处，原名泰里约基，临芬兰湾，为海滨气候疗养地。

第一，鸟类如何辨认长达数千俄里的迁徙之路？

以往我们曾认为每一群秋季飞离的候鸟都会有老鸟，即使只有一只，带领所有年轻的鸟儿沿着它熟悉的路线从栖息地飞往越冬地。现在却证实：在今年夏季才在我们这儿孵出的年轻鸟群中，连一只老鸟也没有。有些种类的鸟，年轻的鸟比老鸟先飞走；有些种类则是年老的比年轻的先飞走。然而无论如何，年轻的鸟儿总能准确无误地如期到达越冬地。

令人诧异的是，即使一只老鸟的小脑袋能记住千百俄里的路程，但仅仅在两三个月前才降生于世，还没有出过远门的小鸟，却已经能独自认识这条道路，这实在太令人不可思议了！

就以上文中提到的泽列诺戈尔斯克的那只小杜鹃为例吧。它是怎么找到杜鹃在南部非洲的越冬地的？所有老杜鹃比它早一个月就从我们这儿飞走了，没有谁给它指路。杜鹃是孤身独处的鸟类，从来都不成群，即使在迁徙途中也是如此。养育小杜鹃的是红胸鸲，一种飞往高加索过冬的鸟类。我们的小杜鹃怎么会出现在南非洲——我们北方的杜鹃世世代代越冬的地方——呢？然后又是怎样回到它被孵化出壳并被红胸鸲喂大的窝里的？

第二，年轻的鸟儿从何得知它们究竟应当飞往何处越冬的？

对于鸟类的这个奥秘，你们——《森林报》的读者实在应当思索一番，但也说不定要等你们的孩子来揭开谜底。

为了解决这些问题，首先得排除“本能”之类令人费解的词汇，应当琢磨出多种巧妙的试验，从而清晰地探明鸟类大脑与人类大脑的区别。

给风力定级

等级	风级名称[①]	秒速和时速	该级风的威力
7	疾风	13～15米/秒 47～54千米/小时	使电线嗡嗡作响，树梢向下弯，吹走浪尖的白沫。

① 风级名称在翻译中以我国上海辞书出版社的《辞海》（2000年版）有关条目为准。

8	大风	16～18米/秒 57～64千米/小时	吹折树的枝桠和枝叶，吹倒树干、柱子和成片围栏。
9	烈风	19～21米/秒 68～75千米/小时	刮走屋顶瓦片，吹落烟囱、瓦片，沉没渔船。
10	狂风	22～25米/秒 79～90千米/小时	树被连根拔起，屋顶被掀。
11	暴风	26～29米/秒 94～104千米/小时 (速度与信鸽相当)	造成极大破坏。

12	飓风	每秒30米以上 (时速与鹰相当)	破坏力巨大。

我们很幸运，因为暴风和飓风在我国非常非常罕见，而不是每年都有。

农庄纪事

拖拉机不再哒哒作响。各个农庄亚麻的选种工作已经完成。运送亚麻的最后一批大车队正向火车站驶去。

现在农庄庄员们考虑的是来年的收成。计划采用专业育种站为国内各农庄培育的黑麦和小麦新品种来播种。农活已经不多，更多的是在家的工作。庄员们全副心思对付院子里的牲畜。

得把农庄的牛羊群赶进畜栏，马匹赶进马厩。

田间变得空空荡荡。一群群灰色的山鹑更近地向人的居住地聚集。它们在谷仓边过夜，有的甚至飞进了村里。

对山鹑的狩猎活动已经结束。有猎枪的庄员现在又开始忙着去打兔子了。

集体农庄新闻

昨日

"胜利" 集体农庄禽舍的电灯亮了。白昼变短了，所以庄员们决定每晚给禽舍照明，使鸡可以有较长时间走动和进食。

鸡都很兴奋。电灯一亮，它们立即起身洗起了炉灰浴。最好斗的一只公鸡歪着脑袋，打量着灯泡，叫道："咯，咯！喔，你要是挂低点，我可要用嘴来啄你啦！"

既营养又好吃

任何一种饲料的最佳配料是干草粉，这是用上等干草加工制成的。

吃奶的猪崽，如果你们想快快长成大猪，那就快吃干草粉吧！生蛋的母鸡，如果你们想每天“咯咯哒！咯咯哒”地叫——为刚生的蛋报喜，就尽情品尝干草粉吧！

来自“新生活”农庄的报道

园艺队正忙于给苹果树换装：需要给它们清理干净并换上新装。因为苹果树身上除了灰绿色的胸针——地衣，什么也没有穿戴。

庄员们从苹果树身上剥除了这些装饰，因为那里面隐藏着害虫。树干和下层的枝桠用石灰水刷白，使它们再也不会附上昆虫，也免得被阳光灼伤，被严寒冻伤。

现在，苹果树穿着雪白的衣装，好看极了。难怪队长开玩笑说：“我们在节日来临之前给苹果树这么打扮可不是无缘无故的。我要带着这些‘美女’去游行呢！”

给百岁老人采的蘑菇

在“曙光”集体农庄里，有位百岁老奶奶阿库里娜。我们《森林报》的记者去看望她时，她不在家，去树林里采蘑菇去了。

回来时，她带了满满一背兜蜜环菌，她对我们说：“那些单独生长而且躲开人眼睛的蘑菇，我已经找不到了：眼神不济了。而这种呢，都是密密麻麻长在一起的。而且我那些可爱的蘑菇，也就是蜜环菌，它们还有一个习惯——爬到树墩上，好更显眼。这真是给老太太采的蘑菇！”

晚秋播种

在“劳动者”集体农庄里，蔬菜队正在地里播种莴苣、洋葱、胡萝卜和香芹菜。

种子落到了寒冷的土里，如果相信队长孙女儿说的话，种子对此是非常不满的。

小女孩说她听到种子在大声抱怨：“不管你播不播种，反正在这么冷的地方我们是不会发芽的！既然你们喜欢这么做，自个儿发芽去吧！”

不过种蔬菜的人之所以这么晚播下这些种子，正是因为它们在秋季已经不能发芽了。

因为这样做它们到春季就会很早发芽，提早成熟。较早收获莴苣、洋葱、胡萝卜和香芹菜，这可是件好事啊。

■ H · 帕甫洛娃

农庄里的园林周

在俄罗斯联邦的各个地区正在开展园林周活动。苗圃里培育了大量供栽种的树苗。在俄罗斯联邦的集体农庄里正在开辟数千公顷的新的果园和浆果园。

数百万株苹果树、梨树和其他果树将被种植在集体农庄庄员、工人和职员住宅旁的自种园地上。

■ 塔斯社列宁格勒讯

都市新闻

动物园里的消息

兽类和禽类从夏季的露天场所迁到了越冬用的住所。它们的笼子被暖气烘得暖暖的，所以任何一头野兽都没有打算进入长久的冬眠状态。

园子里的鸟没有离开鸟笼飞往任何地方，而是在一天之内从寒冷的国度骤然进入了热带王国。

奇怪的小飞机

这些天，城市上空飞翔着一些奇怪的小飞机。行人在街道中央停住了脚步，惊讶地仰首注视着在空中兜圈子的小小的飞行队伍。他们彼此询问说：“您看见了吗？”

“看见了，看见了。”

“真奇怪，怎么听不见螺旋桨的声音？”

“也许是因为太高？您看它们是那么小。”

“就是往下降了也听不见。”

“为什么？”

“因为没有螺旋桨。”

“怎么会没有呢？这算什么呢？新型设计吗？”

“那是鹰！”

"您开玩笑！列宁格勒哪来的什么鹰！"

"那就是金雕。它们现在是飞经这里，正打算飞往南方去呢。"

"原来是这样！现在我也看见了——一些鸟儿在打转；要不是您说，我真的以为是飞机呢。太像了！它们哪怕把翅膀扇那么一下也好……"

赶紧去见识见识

这几个星期以来，在涅瓦河上的施密特中尉桥边、彼得保罗要塞附近和其他一些地方，活跃着很多形态和颜色各异的野鸭。

这里有像乌鸦一样黑的黑海番鸭，鼻梁凸起、翅膀上有白花纹的海番鸭，色彩斑斓、尾巴像伞骨一样撑开的长尾鸭，还有黑白相间的鹊鸭。

它们对城市的喧嚣无所畏惧。即使载货的黑色货轮的铁质船头破浪而进，向着它们笔直冲过来的时候，它们也无所畏惧。它们只是一个猛子扎进水里，不一会儿又重新出现在离刚才的地方几十米远的水面上。

这些潜水鸭都是迢迢海途上的过客。它们一年两度作客列宁格勒——春季和秋季。当来自拉多加湖的冰块开始向涅瓦河涌来时，它们便飞走了。

鳗鱼踏上最后的旅程

大地已是一片秋色。很快，秋色也来到了水下。水正在一点点变冷。老鳗鱼离开这里，踏上了最后的旅程。

它们从涅瓦河出发，经过芬兰湾、波罗的海和北海，进入深深的大西洋。

它们再也不会回到这条度过了一生的河里，而是将在几千米的大洋深处找到自己的坟墓。不过，在死去之前，它们会完成生命中的最后一项使命：产卵。大洋深处并不如我们想象的那么寒冷：那里的温度是零上7摄氏度。每一颗卵都在那里孵化成了像玻璃一样透明的小鳗鱼。亿万条小鳗鱼将踏上遥远的征途。历经三年之后，它们才能来到涅瓦河口。

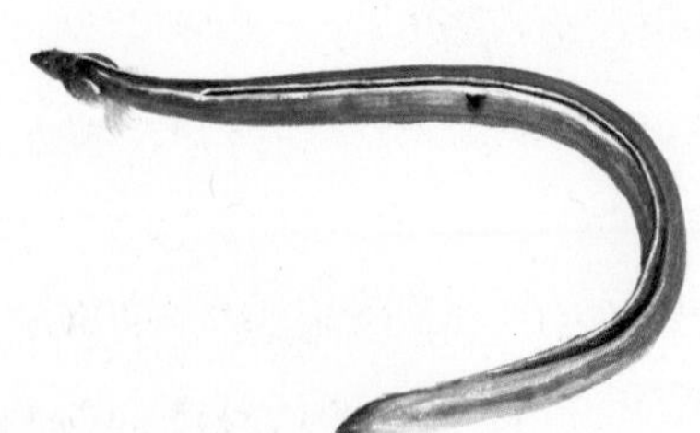

它们将在这里成长，变成大鳗鱼。

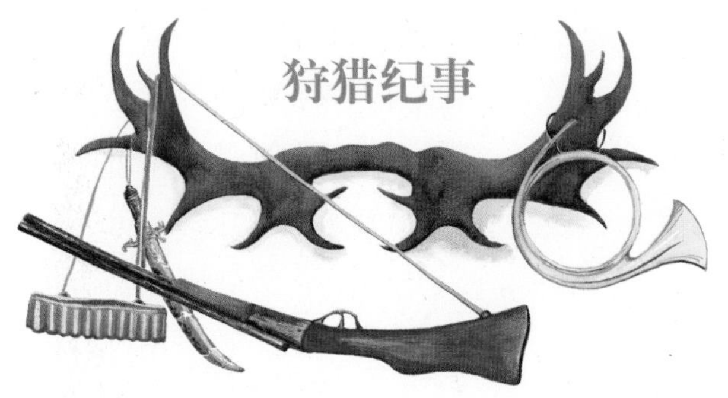

狩猎纪事

带猎狗走在黑色的土路上

在秋季一个清新的早晨，一个猎人肩上扛着枪走在田野上。他用一根短短的皮带牵着彼此靠得很近的两条猎犬，那是两条胸脯宽阔、有棕红色斑点的黑色公狗。

他走到了一座林子边上，解开皮带，放出猎狗，把它们“抛”向了那座孤林。两条猎狗冲着灌木丛冲了过去。

猎人在林边静悄悄地走着，选择着自己在兽径上站立的位置。

他在对着一丛灌木的一个树桩后面站住了，那里有一条无形的小道从林子里延伸出来，通向下面的一条小山沟。

他还没来得及站定，两条狗已经嗅到了野兽的踪迹。

那条老公狗多贝瓦依先叫了起来，它的吠叫一声紧接着一声，并不响亮。

年轻的扎里瓦依也跟着它一阵狂吠。

猎人根据声音听出：它们惊醒并赶起了兔子。现在它们正低头嗅着足迹，沿着黑色的土路——因雨水而变得泥泞、发黑的烂泥地穷追不舍。

狗的叫声时近时远，表明兔子在绕着圈儿走。现在声音又近起来了，正朝这儿赶呢。唉，好粗心大意的家伙！快追啊！你看那只灰兔棕红色的皮毛正在小山沟里闪动呢！猎人一眨眼的工夫就溜走了！

现在又响起了猎狗追捕的声音：跑在前面的是多贝瓦依，扎里瓦依伸着舌头跟在后面。它们在小山沟里紧追着兔子。不过没关系，它们又拐进林子里去了。多贝瓦依是条很有韧性的猎狗，它会盯着踪迹不放，不会跟丢，不会让猎物逃走——是条善于追踪的好狗。

它们兜着圈子跑了一遭，又进了林子。

“反正兔子要栽在这条它经常出没的路上，”猎人想，“这回我不会放过它了！”一阵静默……然后……怎么回事？为什么声音分散了？现在领头的狗完全不叫了。

只有扎里瓦依在叫。

一阵静默……

又传来了领头的多贝瓦依的叫声，但已经是另一种叫法，更加激烈，声音嘶哑。扎里瓦依也跟着上气不接下气地叫了起来，重复地发出尖厉的声音。它们碰到另一种足迹了！是什么足迹呢？反正不是兔子的。不错，是红……

猎人迅速更换了弹药：装上了最大号的霰弹。

兔子蹦跳着在小道上窜过，跑到了田野上。猎人看见了，却没有举枪。

而狗的追捕声则更近了——叫声嘶哑，发出了凶狠、懊丧的尖叫……突然在兽径上，在灌木丛间刚才兔子跑过的地方，火红的背脊、白色的胸脯……直冲着猎人奔了过来。猎人端起了枪。野兽发现了，毛茸茸的尾巴一闪拐向了一边，接着又拐向了另一边。

晚了！砰！只见火红的皮毛在空中一闪，中弹而亡的狐狸在地上摊开了四肢。猎狗从林子里跑了出来，向着狐狸奔去。它们死死咬住了红色的

皮毛，撕扯着它，眼看着要将它撕碎了！

“放下！”猎人厉声吆喝着跑过去，赶紧从狗嘴里夺下了珍贵的猎物。

地下格斗

离我们农庄不远的森林里有一个有名的獾洞，这是一个百年老洞。所谓“獾洞”，不过是口头叫叫而已，其实它甚至不能称为洞，而是座被一代又一代獾纵横交错地挖空的小山丘。这是獾的整个地下交通网。

塞索伊·塞索伊奇带我去看了这个“洞”。我仔细察看了这座小丘，发现它竟有63个进出口。而且在山丘下的灌木丛里，还有些看不见的出口。

一看便知，住在这个宽敞的地下宫殿里的不仅仅是獾，因为在有些入口旁边密密麻麻地爬满了葬甲虫，粪金龟子和食尸虫。它们在堆积于此的母鸡、黑琴鸡、花尾榛鸡的骨头上和长长的兔子脊梁骨上操劳忙碌着。獾不做这样的事，也不捕食母鸡和兔子。它有洁癖：自己吃剩的残渣或别的脏东西从来不丢弃在洞里或洞口。

兔子、野禽和母鸡的骨头泄露了狐狸一家在山丘地下和獾比邻而居的秘密。有些洞被挖开了，成为名副其实的壕堑。

“这都是我们这儿的猎人干的，”塞索伊·塞索伊奇说，“不过他们是枉费心机，狐狸和獾早就从地下溜走了。在这里是无论如何也挖不到它们的。”

他沉默了一会儿后又说：“不如让我们试试，用烟把洞里的家伙熏出来！”

第二天早上，我们三个人来到小丘边：塞索伊·塞索伊奇，我，还有一个小伙子。塞索伊·塞索伊奇一路上和他开玩笑，一会儿叫他“烧锅炉的”，一会儿又叫他“司炉”。我们三个人忙活了好久，除了小丘下面的一个和上面的两个，所有通往地下的口子都堵住了。我们拖来许多枯枝、苔藓和云杉枝条，堆到下面的一个洞口。

我和塞索伊·塞索伊奇分别在小丘上面的一个出口边和灌木丛的后面站定。“烧锅炉的”在入口边点燃了柴堆。待火烧旺，他就往上面加云杉枝。呛人的浓烟升了起来。不久烟就钻进了洞里，就像冒进了烟囱似的。

当烟从上面的出口冒出来时，我们两个射手早就等得不耐烦了。是机灵的狐狸先跳出来，还是又肥又笨的獾先冒出来？说不定它们在地下已经被烟熏迷了双眼？但是躲在洞穴里的野兽倒是很有耐心的样子。

眼看着塞索伊·塞索伊奇所站的树丛后面升起了一小股烟，不一会儿，我身边也开始冒烟。

用不了多久，就会有一头野兽打着喷嚏和响鼻窜出来。更确切地说，是窜出几头野兽，一头接着一头。猎枪已经抵在肩头：千万别放跑了狡猾的狐狸。

烟越来越浓，已经一团团地滚滚涌出，在树丛间扩散。我也被熏得眼睛生疼，直淌眼泪——如果野兽被你漏过，那说不定正好是在你眨眼睛抹眼泪的时候。但是仍然不见野兽现身。

举枪抵住肩头的双手已经疲乏。我放下了枪。

等啊等，小伙子还在一个劲儿地往火堆里扔枯枝和云杉树条。但是最终仍然不见有一头野兽窜出来。

“你以为它们都闷死啦？”回来的路上，塞索伊·塞索伊奇说，“不是，老弟，它们才不会闷死呢！烟在洞里可是往上升的，它们却钻到了更深的地方。谁知道它们把洞挖得有多深！”

这次失手让小个儿的大胡子情绪十分低落。为了安慰他，我便说起了达克斯狗和硬毛的猎狐犬，那是两种很凶的狗，会钻洞去抓獾和狐狸。塞索伊·塞索伊奇突然兴奋起来：“你去弄一条这样的狗来，不管你想什么办法，得弄一条

来。”我只好答应试试看。这之后不久我去了列宁格勒，在那里我交了好运：一位我熟悉的猎人愿意把自己心爱的一条达克斯狗借给我用一段时间。

当我回到乡下，把狗带给塞索伊·塞索伊奇看时，他却大为光火：“你想拿我开涮？这么一只老鼠大小的东西，不要说公狐狸，就是狐狸崽子也会把它咬死再吐掉。”

塞索伊·塞索伊奇本人个子非常矮小，为此非常懊恼，所以对别的小个子，即便是狗，都不放在眼里。达克斯狗的样子确实可笑：小个儿，瘦瘦长长的身子，四条腿弯曲得像脱了臼。但是，当这条其貌不扬的小狗露出锋利的犬牙，冲着无意间向它伸出手去的塞索伊·塞索伊奇凶狠地吠叫着，朝他猛扑过去的时候，塞索伊·塞索伊奇急忙跳开，只说了句：“嗬！好凶的家伙！”说完就不吱声了。

我们刚走近小丘，小狗就怒不可遏地向洞口冲去，险些把我的手拉脱了臼。我刚把它从皮带上解开，它已经钻进黑糊糊的洞穴不见了。

人类按自己的需求培育出了一些十分奇特的犬种，而达克斯狗这种小巧的地下猎犬也许是其中最奇特的品种之一。它的整个身躯像貂一样细瘦，没有比它更适合在洞穴中爬行的了。弯曲的爪子能很好地抓挖泥土，牢牢地稳住身体；狭长的三角形脑袋便于抓住猎物，能一口令它致命。我站在洞口，等待着受过良好训练的家犬和林中野兽在黑暗的地下血腥撕打的结果，心里直发毛。要是猎狗进了洞回不来，那怎么办？到时我有何脸面去见那位爱犬的主人？

追捕行动正在地下进行。尽管隔着厚厚的土层，响亮的狗吠声还是传到了我们耳畔。听起来追捕的叫声来自远处，而不在我们脚下。

然而，狗叫声变近了，听起来更清楚了。那声音因狂怒而显得嘶哑。声音更近了……突然又变远了。我和塞索伊·塞索伊奇站在小丘上面，双手紧握起不了作用的猎枪，握得手指都痛了。狗吠声有时从一个洞口传来，有时从另一个洞口传来，有时从第三个洞口传来。

突然间，声音中断了。我知道这意味着什么：小小的猎犬在黑暗通道内的某个地方追到了野兽，和它撕打起来了。

这时我才突然想起，在放狗进洞前我该考虑到的一件事：猎人如果用

这种方式打猎，通常在出发时要带上铲子：只要敌对双方在地下一开打，就得赶快在它们上方挖土，以便在达克斯狗处境不妙时能助它一臂之力。当战斗在靠近地表的地下某个地方进行时，这个方法就可以用上了。不过在这个连烟也不可能把野兽熏出来的深洞里，就甭想对猎犬有所帮助了。

我干了什么好事呀！达克斯狗肯定会在深洞里送命。也许它在下面要对付的甚至不止一头野兽呢！

忽然又传来了低沉的狗吠声。但是我还来不及得意，它又不叫了——这回可彻底完了。我和塞索伊·塞索伊奇久久伫立在这只英勇的猎犬的坟丘上。我不敢离开。塞索伊·塞索伊奇首先开了腔："老弟，咱们干了件蠢事。看来猎狗遇上了一只老狐狸或者老獾。"

他迟疑了一下又说道："怎么样，走？还是再等上一会儿？"

地下传来了全然出乎意料的沙沙声。紧接着，洞口露出了尖尖的黑尾巴，接着是弯曲的后腿和达克斯狗艰难地移动着的细长的身躯，它身上满是泥污和血迹！我高兴地扑过去，抓住它的身体，使劲儿把它往外拉。

随着狗从黑洞里露出的是一头肥胖的老獾，它毫不动弹。达克斯狗死命地咬住它的后颈，凶狠地摇撼着。它还久久不愿松开自己的死敌，好像怕它会死而复生似的。

■ 本报特派记者

射 靶

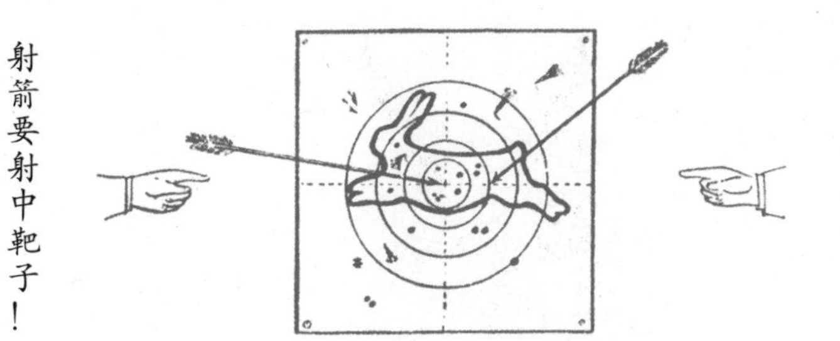

竞赛八

1.兔子往哪儿跑更方便——下山还是上山？

2.落叶会向我们揭示鸟类的哪些秘密？

3.住在森林中的哪一种动物会在树上风干自己的蘑菇？

4.什么野兽夏季住在水中，冬季住在土里？

5.鸟类贮备过冬的食物吗？

6.蚂蚁如何为过冬作准备？

7.鸟类骨骼的内部是什么？

8.秋季，猎人穿什么颜色的衣服最好？

9.鸟类什么时候更能抵御枪弹的伤害——夏季还是秋季？

10.画在这里的这个可怕的脑袋是什么动物的？

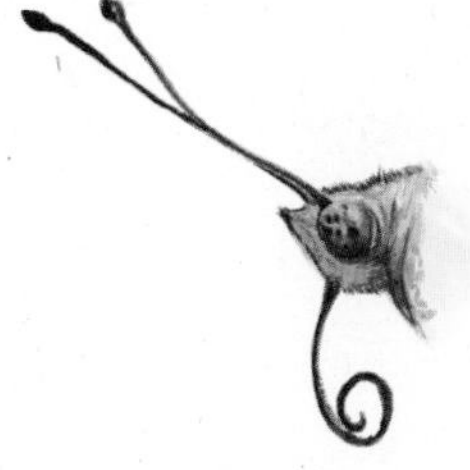

11.蜘蛛是昆虫吗？

12.青蛙躲到哪里过冬？

13.这里画的是三种不同鸟的脚。其中一种鸟生活在树上，另一种生活在地上，第三种生活在水里。指出哪一种脚分别是在哪里生活的。

14.哪一种野兽的脚爪掌心单独外翻而且外露？

15.这是长耳猫头鹰的脑袋。用铅笔尖指出猫头鹰的耳朵。

16.身体落到水上，自己不往下沉，也没把水搅浑。（谜语）

17.走呀走，永远走不完；捞呀捞，总也捞不完。（谜语）

18.一年生的草，长得比院墙还要高。（谜语）

19.跑呀跑，还是跑不到，飞也飞不到。（谜语）

20.过了3岁的乌鸦是几岁？

21.到水塘里洗了个澡，身上还是又干又燥。（谜语）

22.身子带走，抛掉骨头，脑袋入口。（谜语）

23.不是王公贵族，却戴着王冠；不是骑士，脚上有马刺；自己起得早，也不让别人睡觉。（谜语）

24.有尾非兽，有羽非鸟。（谜语）

公告

测试七

“火眼金睛”称号竞赛

谁干的？

图 1

a）谁在云杉球果上做了手脚，并把它们丢到了地上？

b）谁坐在树墩上摘完了球果，留下了核？

c）是谁在榛子上凿了这些小孔，掏吃了里面的果仁？

d）谁把蘑菇搬上了树，插在了树枝上？

在一棵老白桦树的树皮上，有一些绕树干一周的小圆孔。这是谁做的，为什么？

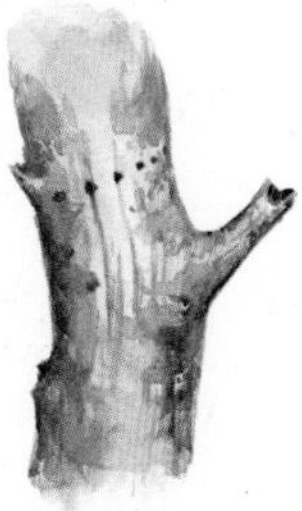

图 2

是谁加工了这个刺实植物的刺状果实？

图 3

图 4

是谁在幽暗的森林里用爪子毁了树木——把云杉树的内皮剥掉了？它为什么要这样做？

图 5

是谁在这儿干的坏事——摧毁了这么多树木，使枝头变得光秃秃的，还折断了那么多树枝？

人人能做的事

要想讨回被啮齿动物从田里盗窃的上等粮食，就要学会寻找并挖掘田鼠的洞穴。

本期《森林报》上报道过这些有害的小兽从我们的田间偷盗了多少精选的谷物，充实到它们自己的粮仓。

请勿打扰

我们为自己准备了越冬的居室，并将在此睡到开春。

我们没有打搅你们，所以请你们也让我们安安稳稳地休息吧。

——熊、獾、蝙蝠

森林报

No.9

冬季客至月

（秋三月）

第九期导读

一年——分12个月谱写的太阳诗章

11月——通往冬季的中途。11月是9月的孙子，10月的儿子，12月的亲兄弟：11月是带着钉子来的，12月是带着桥梁来的。11月骑着花斑马出门，一会儿遇到雪花纷飞，一会儿遇到雨水泥泞；一会儿雨水泥泞，一会儿又是雪花纷飞。11月这家铁匠铺子虽然不大，但里面却在铸造封闭全俄罗斯的枷锁：水塘和湖泊表面已经结冰了。

现在秋季正在完成它的三项伟业：先给森林脱去衣装，给水面套上枷锁，再给大地罩上白雪的盖布。森林里不再舒适：挺立的林木遭受秋雨无情的鞭打以后，被脱光了衣衫，浑身发黑。河面的冰寒光闪闪，但是如果你探步走到上面，脚下便发出清脆的碎裂声，你会坠入冰冷的水中。撒满积雪的大地上，一切秋播作物都停止了生长。

然而这些都还只是冬季的前兆。偶而还会有阳光灿烂的日子。嘿，你看，万物见到阳光是多么高兴！你看，从树根下爬出了黑魆魆的小蚊子和小苍蝇，飞到了空中。脚边会绽放出金色的蒲公英花和款冬花——那可是春季的花朵啊！积雪融化了……然而树木却已沉沉地入睡，凝滞不动，直至春天，什么感觉也没有。

现在，采伐木材的时节到了。

林间纪事

莫解的行为

今天我挖开积雪，察看我的一年生植物。这是一些只能度过一春、一夏和一秋的草本植物。

现在是秋季，可我发现它们并未全部死亡。就说现在，都11月了，许多还绿油油的呢。扁蓄显得生机勃勃。这就是长在农舍边的那种乡间野草。它长着彼此纠缠的蔓生小茎(人的脚常在它上面无情地践踏)、长长的叶子和不起眼的粉红色小花。

生机盎然的还有低矮的、扎人的荨麻。夏天你可受不了它：你在除草时会被它弄得双手都是水疱。可如今在11月里看着都觉得亲切。

蓝堇也保持着旺盛的生命力。你们记得蓝堇吗？这是一种美丽的小草，长着微微分开的叶子和长长的粉红色小花，花蒂颜色深沉。你们在菜地里常会遇见它。所有这些一年生的小草都还很有活力。不过，我知道到春季它们就不复存在了。这雪下的生命究竟包涵着何种意义呢？又作何解释呢？我不得而知。这还有待发掘。

■ H · 帕甫洛娃

森林不会变得死气沉沉

凛冽的寒风在森林里肆虐。光秃秃的白桦、山杨、赤杨在风中摇曳，吱吱作响。最后的一批候鸟正在匆匆地飞离故土。夏季在我们这儿生息繁衍的鸟类还没有全部飞走，冬季的来客就已经光临了。

每一种鸟都有自己的口味和习惯：有的飞往他乡越冬——到高加索，外高加索，意大利，埃及，印度；有的宁愿在我们列宁格勒州过冬。在我们这儿，它们觉得冬季挺暖和，又有充足的食物。

会飞的花朵

赤杨黑魆魆的枝条显得多么孤苦无依！上面没有一片树叶，地下也没有绿油油的野草。懒洋洋的太阳无力地透过灰色的云层俯瞰着下界。

蓦然间，在沼泽地上，迎着阳光欢乐地绽放出了鲜艳的花朵。这些花朵大得出奇，有白的，红的，绿的，金的。它们有的撒满了赤杨树黑色的枝头；有的如鲜艳夺目的斑点缀满了白桦树的树皮；有的坠落到地面；有的在空中扇动着美丽的翅膀。

犹如木笛的乐音在交相呼应，它们的歌声从地面传递到枝叶丛间，从一棵树传递到另一棵树，从一座林子传递到另一座林子。它们是谁？又来自何方？

北方来客

这是我们冬季的来客——来自遥远北方的小小的鸣禽。这里有小巧的红胸红头的白腰朱顶雀；有烟蓝色的凤头太平鸟，它的翅膀上长着5根像

手指一样的红色羽毛；有深红色的蜂虎鸟；有交嘴鸟——母鸟是绿的，公鸟是红的。这里还有金绿色的黄雀，黄羽毛的红额金翅雀，胖嘟嘟的、胸脯鲜红丰满的红腹灰雀。我们这儿的黄雀、红额金翅雀和红腹灰雀已经飞往较为温暖的南方。而这些鸟却是在北方筑巢安家的，现在那里是寒冷的冰雪世界。在它们看来，我们这里已是温暖之乡了。

黄雀和白腰朱顶雀开始以赤杨和白桦的种子为食。凤头太平鸟、红腹灰雀则以花楸和其他树木的浆果为食。红喙的交嘴鸟啄食松树和云杉的球果。瞧，大家都吃得饱饱的。

东方来客

低矮的柳树上突然开满了美丽的白色玫瑰花！白色玫瑰花在树丛间飞来飞去，在枝头转来转去，用黑色的细长脚爪爬遍了各处。像花瓣似的白色翅膀在熠熠闪动，轻盈悦耳的歌喉在空中啼啭。

这是云雀和白色的青山雀。它们并非自北方，它们经过乌拉尔山区，从东方，从那暴风雪肆虐、严寒彻骨的西伯利亚辗转来到我们这里。那里早已是寒冬腊月，厚厚的积雪盖满了低矮的杞柳。

该睡觉了

布满天空的乌云遮住了太阳。天空中撒下了灰蒙蒙的湿雪。

肥胖的獾气呼呼地打着响鼻，摇摇摆摆地走向自己的洞穴。它满肚子不高兴：林子里又湿又泥泞。该钻到地下那干燥、清洁、铺着沙子的洞穴里，该躺下睡觉了。

森林里，羽毛蓬松的乌鸦——北噪鸦打起架来了，晃动着颜色像咖啡渣的湿漉漉的羽毛，发出尖厉的叫声。

一只老乌鸦从高处低沉地叫了一声，因为它看见了远处的动物死尸。它那蓝黑色的翅膀一闪，飞走了。

森林里静悄悄的。灰蒙蒙的雪花沉甸甸地落到发黑的树上，落到褐色的地面上。落叶正在地面上悄悄地腐烂。

雪下得越来越密。飘起了鹅毛大雪，撒落到发黑的树枝上，盖满了大地。

在严寒的笼罩下，我们列宁格勒州的河流一条接一条地结了冰：沃尔霍夫河，斯维里河，涅瓦河。最后连芬兰湾也结了冰。

摘自少年自然界研究者的日记：

最后一次飞行

在11月的最后几天，当皑皑白雪完全覆盖大地的时候，突然刮起了一股暖风。但是积雪并没有因此而消融。

清早我出去散步，一路上看见灌木丛里、树木之间、雪地上到处飞舞着黑色的小蚊子。它们疲惫无力地飞舞着，不知来自什么地方，结成一个圆弧的队形飞过，仿佛被风吹送着似的——尽管当时根本没有风，然后歪歪斜斜地降落到雪地上。

中午以后，雪开始融化，树上的融雪不断地滴落。如果你抬头仰望，水珠就会落进你的眼里，或者像湿冷的尘粒溅到脸上。这时，不知从哪儿冒出许许多多的小苍蝇——也是黑色的。夏季的时候我没有见过这样的蚊子和苍蝇。小苍蝇乐不可支地飞舞着，只是飞得很低，低垂在雪地上方。

傍晚时，天气又变冷了，苍蝇和蚊子不知又躲到哪儿去了。

■ 驻林地记者　维丽卡

追逐松鼠的貂

许多松鼠游荡到了我们的森林里。

在它们曾经生活过的北方，松果不够它们吃的，因为那里今年歉收。

它们散居在松树上，用后爪抱住树枝，前爪捧着松果啃食。

有一只松鼠前爪捧着的松果一不小心掉到地上，陷进了雪中。松鼠舍不得就此放弃松果，它气急败坏地吱吱叫着，从一根树枝到另一根树枝，一节节地往下跳。

它在地上一蹦一跳，一蹦一跳，后腿一蹬，前腿一托，就这样蹦跳着去找松果。

这时，它看见在一堆枯枝上冒出个毛茸茸的黑色身躯，还有一双锐利的眼睛。松鼠把松果忘到了九霄云外，嗖地一下纵身跃上了跟前的一棵树。这时一只黑貂从枯枝堆里窜了出来，尾随着松鼠追了上去。它迅速爬上了树干。松鼠已经跑到了树枝的尽头。

貂沿树枝爬上去，松鼠纵身一跃，已跳上了另一棵树。

貂把自己细长的身子缩成一团，背部弯成了弓形，也纵身一跳。

松鼠沿着树干飞奔，貂在后面穷追不舍。松鼠很灵巧，可貂更灵活。

松鼠跑到了树顶，没有再高的地方可跑了，而且旁边没有别的树。

貂正在步步逼近……

松鼠从一根树枝向另一根树枝往下跳。貂尾随而至。

松鼠在树梢蹦跳，貂在较粗的树干上跑。松鼠跳呀，跳呀，跳呀，跳——已经跳到了最后一根树枝上。

向下是地面，向上是黑貂。

它别无选择：只能跳到地上，再爬上别的树。

但是在地上松鼠可不是貂的对手。貂只跳了三下就将它追上，把它扑倒在地——于是松鼠一命呜呼了……

兔子的花招

夜里，一只灰兔闯进了果园。凌晨时它已啃坏了两棵年轻的苹果树，因为小苹果树的树皮是很甜的。雪花落到它的头上，它也毫不在乎，依然不停地一面啃一面嚼。

村里的公鸡已经叫了一遍，两遍，三遍。响起了一声狗叫。

这时，兔子忽然想到：得趁人们还没有起床，跑回森林去。四周是白茫茫的一片，它那棕红色的皮毛从远处看上去一目了然。它真羡慕雪兔呀：现在那家伙浑身雪白。

夜间新降的雪很柔软，容易留下脚印。兔子跑过的雪地上留下了清晰的脚印：长长的后腿留下的脚印是拉长的，一头大一头小；短短的前腿留下的是一个个圆点。所以在温暖的积雪上，每一个爪印、每一处抓痕都清晰可见。

灰兔经过田野，跑过树林，身后留下了长长的一串脚印。现在灰兔真想跑到灌木丛边，在饱餐之后睡上一两个小时。可糟糕的是它留下了足迹。

灰兔耍起了花招：它开始搅乱自己的足迹。

村里人已经醒来。主人走进果园一看——天哪！两棵最好的苹果树被啃坏了！他往雪地里一瞧，什么都明白了：树下留有兔子的脚印。他伸出拳头威胁说："你等着！你损坏的东西要用自己的皮毛来还。"

主人回到农舍，给猎枪装上弹药，就带着它走进了雪地。

就在这儿，兔子跳过篱笆往田野上跑了。在森林里，脚印开始沿着一

丛丛灌木绕圈儿。这也救不了你：我们会把圈套解了。

这儿就是第一个圈套：兔子绕着灌木丛转了一圈，把自己的足迹切断了。

这儿是第二个圈套。

主人顺着后脚的脚印追踪着它。两个圈套都被他解开了。手中的猎枪随时待命。

慢着，这是怎么回事？足迹到此中断了，四周的地面上干干净净，了无痕迹。如果兔子跳了过去，应该看得出来。

主人向脚印俯下身去。嘿嘿！又来了新的花招：兔子向后转了个身，踩着自己的脚印往回走了。爪子踩在原来的脚印里，你一下子识别不出脚印被踩了两遍，这是双重足迹。

主人就循迹往回走。走着走着他又到了田野里。那就是说刚才看走了眼，之前它肯定还耍了什么花招。

他回去又顺着双重足迹走。啊哈，原来是这样：双重足迹不久就到了头，接下去又是单程的脚印。这就意味着你得在这儿寻找它跳往旁边的痕迹。好了，这不就是嘛：兔子纵身一跃越过了灌木丛，于是就跳到了一旁。又是一串均匀的脚印。又中断了。又是越过灌木丛的新的双重足迹，接着就是一跳一跳地向前跑。

现在得分外留神……还有一处向旁边的跳跃。在这儿，兔子肯定正躺在某一丛灌木下。你尽管耍花招吧，这可骗不了我！

兔子确实就躺在附近。只是并未躺在猎人所认为的灌木丛下面，而是藏在一大堆枯枝下面。

它在睡梦中听到了沙沙的脚步声。走近了，更近了……

兔子抬起了头——有人在枯枝堆上行走。黑色的枪管垂向地面。兔子悄悄地爬出了洞穴，猛地一下窜到了枯枝堆的外面。白色的短尾巴在灌木丛

间一闪而过——然后就逃没影儿啦。

一无所获的园主人只好悻悻地回家去了。

隐身的不速之客

又一个夜间盗贼来到了我们森林里。要见它一面极其困难：夜里黑得伸手不见五指，而白天又无法把它和白雪分辨清楚。它是极地的居民，披在身上的颜色近似北极永久的积雪。这里说的是一种北极的白色猫头鹰。

它的个头几乎与雕鸮相当，力量则略逊一筹。它捕食大小鸟类、老鼠、松鼠和兔子。

它故乡的冻土带是如此寒冷，所以几乎所有的兽类都躲进了洞穴，鸟类则已远飞他乡。饥饿迫使白色猫头鹰踏上旅途，来到我们这儿安家落户。在春季到来之前它并不打算还乡。

啄木鸟的打铁铺

我们家的菜园外面有许多老的赤杨树、白桦树，还有一棵很老很老的云杉树。在云杉树上挂着几个球果。于是就有一只色彩斑斓的啄木鸟为了这些球果飞临了这里。啄木鸟停到树枝上，用长长的嘴摘下一颗球果，又沿着树干向上跳。它把球果塞进一个缝隙里，开始用长喙敲打它。从里面啄食到种子后，就把球果往下一推，又去摘第二颗了。在同一个缝隙里它又塞进第二颗球果，接着又塞进第三颗，就这样一直操劳到天黑。

■ 驻林地记者　Л・库博列尔

去问熊吧

为了躲避凛冽的寒风，熊喜欢地势低的地方，甚至会在沼泽地，在茂密的云杉林里，为自己安顿一个冬季的栖身之地——熊洞。但蹊跷的是：如果冬季不太冷，会出现解冻天气，那么所有的熊必定睡到地势高的地方，在小山岗上，或在开阔的高地。这一点经受了许多代猎人的检验。

这好理解，因为熊害怕解冻天气。确实是这样，如果在冬天它肚子下面

潺潺流淌着融化的雪水，后来又严寒骤降，结了冰的雪就会把熊那蓬松的皮毛变成铁一样硬的板条，那可怎么办？这时就顾不上雪了，得一跃而起，满林子游荡去，无论如何得让身子暖和过来！

可如果不睡觉，东游西荡，就要消耗自已储存的体力，这就意味着得吃东西来补充体力。但是冬天森林里熊找不到可吃的东西。所以它一旦预感到会有暖冬出现，就会选择在高处筑洞，那样即使在解冻天气它身下也不会浸湿。这一点我们可以理解。

然而它究竟凭借什么预感到到当年会出现暖冬还是寒冬的呢？为什么还在秋天的时候，它就能正确无误地为自己选择筑洞的地点，或在沼泽，或在山岗？这一点我们不得而知。

想知道的话，不妨爬到熊洞里，去问问熊吧。

只按严格的计划行事

“森林里边，地狱阴间。”古时候，在俄罗斯有这样一个谚语。人们还说：“谁在森林干活糊口，死神立马临头。”

早先伐木和砍柴的生活是充满了凶险的。拿一把斧头当武器的人们像对待凶恶的敌人一样对付绿色的朋友。要知道锯子来到我们身边完全是不久前的事：到 18 世纪才出现。

为了能整天挥舞斧头，人需要有勇士的力量，还需要钢铁般的体质，才能在天寒地冻的气候下，冒着狂风暴雪，只穿一件单衣在白天劳动，而夜晚则在连烟囱都没有的小屋或简陋的小窝棚里，盖着毯子，傍着灶头睡觉。

春天，伐木工人在林子里吃的苦头更多。

一个冬天砍伐的木材需要拖出去，运到河边。等到河水开冻，再把沉

重的原木滚进水里，于是——河妈妈，你把它们运走吧！河流知道该把它们带往何方。

木材运到哪里，感谢之声也跟到哪里……于是沿河建起了一座座城市。

那么在我们的时代怎么样呢？在我们的时代，“伐木”、“砍柴”这两个字眼早就过时了，完全改变了原来的意思。我们已经不需要用斧头来砍伐巨大的树木，砍削它们的枝桠。这一切都由机器替我们完成。连通往森林里面的道路也由机器来开辟、平整，再沿这些路把木材运出林子。

瞧，这就是林间履带拖拉机，它拥有巨人般的力量。这个庞大的钢铁怪物乖乖地服从它的创造者——人的意志，向着无路通行的密林推进，如压草一般推倒了一棵棵数百年的大树。它轻松地把大树连根掘起，堆到两边，耙开枯枝，压平地面，于是路筑成了。

路上载着流动电站的汽车飞奔而来。工人们手持电锯走向一棵棵大树，电锯后面蜿蜒曲折地拖着包橡皮的电线。电锯尖利的钢齿如刀切油脂般切进坚固的木材。半米直径的巨大树干30秒内就锯断了。而如此巨大的一棵树要100年才能长成。

当周围百米之内的树木都倒下以后，汽车就载着电站继续前进，强大的集材拖拉机就开到了它的位置。它一下子抓住几十根没有削去树枝的树木，拖向运输木材的道路。

巨大的木材牵引车沿途把木材运往窄轨铁路。那里已经有一个人——司机——在驾驶长长的一列敞车，上面装着数千立方米的木材，驶向铁路边的木材仓栈或河边。在这儿木材被加工成原木、板材、造纸木材。

就这样，借助机器采伐的木材将出现在最偏僻的草原村落、城市、工厂——所有需要它的地方。

任何人心里都明白，借助如此强大的技术可以采伐林木，但是要严格按国家计划统一行事，否则我们这个森林资源最为丰富的国家就可能变得完全无林可伐。在现代技术条件下，要消灭一个森林是再简单不过的事，可是它成长起来却是那么缓慢：几十年的时间。

在采尽木材的地方，我们马上用各个品种的树木种植新的森林。

农庄纪事

今年，我们的集体农庄的庄员们的劳动成果非常出色。每公顷收获1500千克，这在我们州的许多农庄是很普通的事——收获2000千克也并不稀奇。而斯达汉诺夫小队创造出的高产，使得先进生产者得以荣膺“劳动英雄”的光荣称号。

国家因光荣的劳动者在田间的忘我劳动而向他们致敬，用“劳动英雄”的光荣称号、勋章和奖章来表彰集体农庄庄员的成绩。

眼看着冬季将临。

各农庄的田间作业已经结束。

妇女们正在奶牛场劳作，男人们正在喂养牲口。有猎狗的人离开村子捕猎松鼠去了。也有许多人去采伐木材了。

一群灰色的山鹑簇拥着朝农舍靠拢。

孩子们跑向学校。白天放置捕鸟器，乘滑雪板和雪橇去山上尽情滑雪；晚上准备功课和看书。

我们比它们更有招数

下了一场大雪。我们发现，老鼠在雪下挖了一条通向苗圃中的小树苗的坑道。可我们比它们更有招数：立马在每一棵树苗的周围把积雪踩结实。这样它们就无法到达树苗跟前了。如果哪一只老鼠跳到积雪外面，那不等我们数到二它就冻死了。

进入我们花园的还有一种有害的小兽——兔子。可我们也找到了防御

的办法：把所有树苗的树干用麦秸和有刺的云杉树枝包起来，让它们无从下口。

■ 季马·博罗多夫

集体农庄新闻

挂在细丝上的屋子

有没有可能住在一个挂在一根细丝上、在风中摇曳的小屋里，度过整个冬季呢？而且这还是一个墙壁和纸一样薄、里面却没有任何取暖设施的小屋？

你们想象不到吧——这居然可行！我们见过许多如此简陋的屋子。它们用蛛丝般的细丝挂在苹果树的枝头，是用干树叶做成的。庄员们把它们摘下来消灭掉——原来，小屋里的居民并非良善之辈，而是山楂粉蝶的幼虫。如果留它们过冬，到春季它们就会啃食苹果树上的花蕾和嫩芽。

灾害来自森林，救星也来自森林！

昨天夜里，在“光明大道”集体农庄发生了一桩犯罪未遂案件。午夜时分，一只大兔子溜进了果园。它企图啃食年轻苹果树的树皮，但是苹果树的树皮似乎跟云杉树皮一样有刺，这个匪徒在多次尝试没有得手后就放弃了，隐入了最近的林子里。

庄员们预见到来自森林的匪徒会袭击他们的果园，所以他们砍了许多云杉枝条，预先用它们把自己的苹果树树干武装了起来。

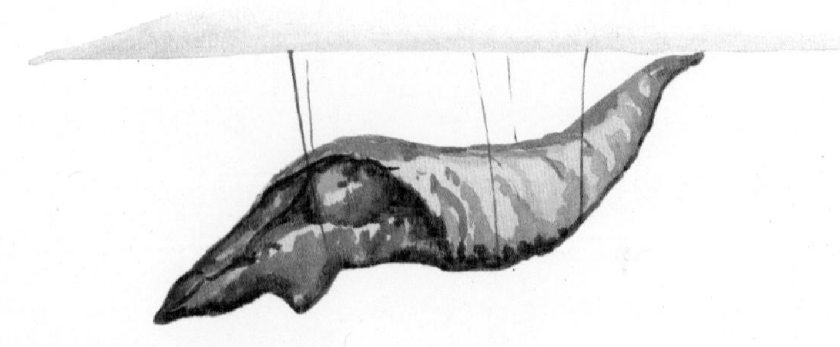

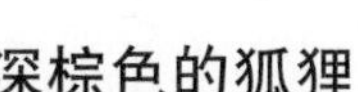

深棕色的狐狸

市郊的“红旗”集体农庄里建立了一个兽类养殖场。昨天运来了一批深棕色的狐狸。一群人围拢来迎接农庄的新居民。 刚刚会跑的孩子们也跑了来。

狐狸心怀疑虑、怯生生地看着围过来的人群。有一只突然若无其事地打了个哈欠。

“妈妈,”一个在白头巾上戴了顶帽子的小孩叫了声,“可别把这只狐狸当围脖围在脖子上:它会咬人!”

在暖房里

“劳动者”集体农庄里，人们正在挑拣小小的洋葱头和洋芹菜根。

“这是在给牲口准备饲料吗，爷爷？”生产队长的孙女问道。

“孩子，你猜错了。这些洋葱和洋芹菜我们马上要种到暖房里。”

“为什么呀？让它们长高、长大？”

“不是呀，孩子，为了让它们供给我们吃绿色蔬菜。冬天我们吃马铃薯的时候，就能撒上葱花，也能在汤里吃到洋芹菜的绿菜叶了。”

用不着盖厚被子

上星期天，外号“犟嘴傻大个儿”的9年级学生米卡在“曙光”集体农庄待过。在马林果灌木丛边，他偶然遇见了生产队长费多谢伊奇。

“怎么样，爷爷，你的马林果树会不会冻死啊？”米卡装出很内行的样子问。

“不会,”费多谢伊奇答道,“它在雪下面会安全过冬的。”

“在雪下面？爷爷,你脑子没问题吧？”犟嘴傻大个儿米卡接着问,“你要知道你的马林果树比我的个儿还高。难道你指望下这么深的雪吗？”

“我指望下和平常一样的雪，”爷爷回答，“那你这个有学问的人说说看，你冬天盖的被子厚度超过你的个头了吗？”

“提我的个儿干吗？”米卡笑了起来。“我盖被子的时候是躺着的。你

明白吗，爷爷，躺——着！”

“可我的马林果树也是躺着盖的雪被子。只不过你这个学问家是在床上躺，而马林果树呢，我把它弯向了地面。我把一丛灌木压向另一丛灌木，再把它们彼此扎在一起。这样它们就能躺在地上啦。”

“爷爷，你比我想象的要聪明。”犟嘴傻大个儿米卡说。

“只可惜你没有我想象的那样聪明呀！”费多谢伊奇回答。

■ H · 帕甫洛娃

助手

现在，每天都能在农庄的粮仓见到孩子们的身影。其中一部分人帮助选种，以便春季里在田间播种；另一些人在菜窖里劳动，挑选上好的马铃薯做种。

男孩们在马厩和造铁厂帮忙。

许多孩子无论在奶牛场、猪圈、养兔场还是家禽养殖场，都有自己的辅导对象。

我们在学校用功学习，回到家里就帮助干些力所能及的农活。

■ 少先队大队长　尼古拉 · 利瓦诺夫

都市新闻

瓦西里耶夫斯基岛的乌鸦和寒鸦

涅瓦河结冰了。现在每天下午4点，都有瓦西里耶夫斯基岛的乌鸦和寒鸦飞来，降落到施密特中尉桥（8号大街对面）下游的冰上。

经过一番吵吵闹闹的争执后，这些鸟儿分成了几群，然后飞往瓦西里耶夫斯基岛上的各家花园里过夜。每一群都住在自己最中意的花园里。

侦察员

城市花园和公墓的灌木与乔木需要保护。它们遇到了人类难以对付的敌害。这些敌害是那么狡猾、微小和不易察觉，连园林工人都发现不了。这时就需要专门的侦察员了。

这些侦察员的队伍可以在我们的公墓和大花园里见到。

它们的首领是穿着花衣服、帽子上有红帽圈的啄木鸟。它的喙就像长矛一样。它用喙啄穿树皮。它断断续续地大声发号施令：基克！基克！

接着，各种各样的山雀就闻声飞来：有戴着尖顶帽的凤头山雀；有褐头山雀，它的样子像一枚帽头很粗的钉子；有黑不溜秋的煤山雀。这支队伍里还有穿棕色外套的旋木雀，它的嘴像把小锥子；还有穿蓝色制服的鳾，它的胸脯是白色的，嘴尖尖的，像把小匕首。

啄木鸟发出了命令：基克！鳾重复着它的命令：特甫奇！山雀们作出

了回应：采克，采克，采克！于是整支队伍开始行动。

侦察员们迅速占领了各棵树的树干和树枝。啄木鸟凿穿树皮，用针一般尖锐而坚固的舌头从中捉出小蠹虫。鳾则头朝下围着树干打转，把它细细的“小匕首”伸进树皮上的每一个小孔，从中缉拿昆虫或它的幼虫。旋木雀自下而上沿树干奔跑，用自己的弯锥子挑出这些虫子。一大群兴致高昂的山雀在枝头辗转飞翔。它们察看每一个小孔，每一条小缝，任何一条小小的害虫都逃不过它们敏锐的眼睛和灵巧的嘴巴。

既是食槽又是陷阱的小屋

饥寒交迫的时节到了。请为我们了不起的小朋友——鸣禽多多着想。

如果你居住的房子有附属的花园或者即使是用篱笆围住的屋前小花园，你很容易把鸟儿吸引到自己身边：在没有食物的季节喂养它们，在严寒和风暴天气给它们庇护，事先放置居住的小平台让它们当窝。假如你想从这些出色的歌手中引诱一两只到自己的房间里，你立马可以将它逮住。为了实现这一切，一间小屋就可以为你效力。

在你小屋围廊上的免费食堂里，放上大麻子、大麦、小米、面包屑和肉末、没腌过的肥肉、凝乳、葵花子，款待来客。即使你在大城市居住，最有趣的小客人也会集拢来享用你款待的美食，还会住到你的家里。

你可以从小回廊上的活动小门到你的窗户之间拉一根铁丝或绳子，需要的时候，就把小门关上。

或者……这样更有趣——给捕鸟器通上电！

不过，你最好别在夏天捕捉自己的小房客：那样就会把那些嗷嗷待哺的小鸟儿饿死。

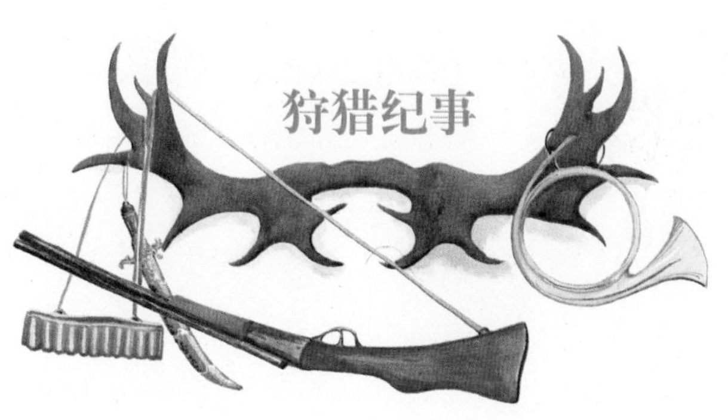

秋季，人们开始捕猎皮毛有实用价值的小兽。快到11月的时候，它们的皮已清理干净，换上了新毛：夏季轻薄的皮毛换成了暖和稠密的冬装。

捕猎松鼠

小小的松鼠有什么了不起？

在我们苏联的狩猎业里，它偏偏比其余所有的野兽都重要。松鼠尾巴在全国每年的销售量达数千捆。人们用蓬松的松鼠尾巴制作帽子、衣领、护耳和其他保暖用品。

松鼠皮和尾巴是分开销售的。松鼠皮用来做大衣和披肩。用它制作出来的漂亮的浅灰色女式大衣，又轻又暖和。

一旦降下第一场雪，猎人们就会出发去捕猎松鼠。在松鼠多又易捕获的地方，连老人和12～14岁的男孩也加入了捕猎松鼠的行列。

猎人们或组成小型的捕猎队，或单独行动，在森林里一住就是几个星期。从早到晚乘着短而宽的滑雪板在雪地里巡视，或用猎枪射击松鼠，或放置捕兽器，守株待兔。

他们在土窑或很低的小窝棚里过夜，在那些窝棚里连站都站不直，这就是他们被白雪覆盖的临时住所。他们做饭的工具是样子像壁炉的直烟道小灶。

猎人捕猎松鼠的首选伙伴是莱卡狗。没有它，猎人就像失去了眼睛。

莱卡狗是一种非常特殊的犬种，属于我们的北极犬，在冬季原始森林

里进行的狩猎活动中，世界上没有任何一种猎犬能与之匹敌。

莱卡狗为你寻找白鼬、黄鼬、水獭、水貂的洞穴，替你把这些小兽咬死。夏天，莱卡狗帮你从芦苇荡里赶出野鸭，从密林里赶出公黑琴鸡。它不怕水，即使冰冷的水，当河面结起冰棱时，它还能下水去叼回打死的野鸭。秋季和冬季，莱卡狗帮主人捕猎松鸡、黑琴鸡，这两种鸟在这个时节面对伺伏的猎狗沉不住气：莱卡狗坐在树下，不时发出汪汪的叫声，以此吸引它们的注意。

带上莱卡狗打猎，你在黑土路和积雪的土路上能找到驼鹿和熊。

如果你遭遇猛兽的攻击，忠实的朋友莱卡狗不会出卖你，它会从后面咬住野兽，让主人赢得重新装弹的时间，把野兽打死；它为了保护主人，甚至牺牲自己也在所不惜。但是最叫人惊讶的，莫过于莱卡狗会帮猎人找到松鼠、貂、黑貂、猞猁，这些都是在树上生活的野兽，这是任何一条其他品种的狗所无法企及的。

在冬季或深秋时节，你在云杉林、松林、混合林里行走，会发现这里到处静悄悄的。没有任何东西做出轻微的动作，也没有晃动声和轻微的叫声。似乎周围是空无一物的荒漠，连一只小兽也没有。一片死寂。

然而，只要你带上莱卡狗走进这座林子，就不会寂寞无聊了。莱卡狗会在树根下找出白鼬，把雪兔从睡梦中惊醒，顺便吃上一只林中的老鼠。不管不露痕迹的松鼠在稠密的针叶丛里躲藏得多深，它都能发现。

确实，如果空中的小兽不偶然下到地面，莱卡狗怎么能找到松鼠呢？要知道狗既不会飞，也不会上树呀！

无论猎人用于追踪野禽的追踪犬，还是寻找兽迹的撵山犬，都需要有灵敏的嗅觉。鼻子是追踪犬和撵山犬主要的工作器官。这些品种的狗即使

视力很差，耳朵完全失聪，也仍然能出色地完成任务。

而莱卡狗却一下子具备了三个工作器官：细腻的嗅觉、敏锐的视力和灵敏的听力。莱卡狗能一下子把这三个器官都调动起来。与其说这三者是器官，不如说是莱卡狗的三个仆从。

只要松鼠的爪子在树枝上抓一下，莱卡狗那双竖起的时刻警戒的耳朵就已经对主人悄悄说："野兽在这儿。"松鼠的爪子在针叶丛中稍稍一晃，莱卡狗的眼睛就会告诉主人："松鼠在这儿。"风儿把松鼠身上的一股气息吹送到了下面，莱卡狗马上会用鼻子向主人报告："松鼠在那边。"

靠自己的这三个仆从发现树上的小兽以后，莱卡狗就该忠诚地让自己的第四个仆从——嗓子为打猎的主人效劳了。

一条优秀的莱卡狗不会向发现野兽或野禽藏身的树上扑过去，也不会用爪子去抓树干，因为这样会惊动藏身的小兽。一条优秀的莱卡狗会坐在树下，眼睛死死盯住松鼠藏身的地方，不时发出阵阵吠叫，保持高度警惕。

只要主人还没有到来或呼唤它回去，它不会从树下离开。

捕猎松鼠的过程十分简单：小兽已被莱卡狗发现，它的注意力也被猎狗牢牢吸引。猎人只需要无声无息地靠近，不做出剧烈的动作，然后就是好好瞄准。

用霰弹枪击中松鼠是不成问题的。但一个职业猎手却往往用单颗枪弹射击这种小兽，而且一定要击中头部，以免损伤皮毛。冬季，松鼠抵御枪伤的能力很强，所以射击要十分精准。否则它就会躲进稠密的针叶丛里，再也不肯出来。

捕猎松鼠还可以用捕兽器或别的捕兽工具。

捕兽器是这样放置的：取两块短的厚木板，将它们固定在在树干之间；用一根细木棍支撑上面的木板，以免它落到下面的木板上。木棍上绑上香喷喷的诱饵：烤熟的蘑菇或晒干的鱼。松鼠稍稍拖一下诱饵，上面的板就会落下来，啪的一声夹住小兽。

只要雪不很深，整个冬季猎人都在捕猎松鼠。春季松鼠正在换毛，所以直到深秋，在它重新穿上华丽的浅灰色冬装前，人们都不会碰它。

带把斧头打猎

在捕猎毛皮有经济价值的凶猛小兽时，猎人与其使用猎枪，还不如使用斧头。

莱卡狗凭感觉找到了藏在洞里的黄鼬、白鼬、银鼠、水貂或水獭。把小兽赶出洞穴便是猎人的事了。可这件事做起来并不容易。

凶猛的小兽在土里、石头堆里、树根下面安置自己的洞穴。感觉到危险以后，它们绝对不会离开自己的藏身之所。猎人只好用探棒或小铁棍不断地在洞穴里搅，或者干脆用双手扒开石块，用斧头砍掉粗树根，刨开冻结的泥土，再就是用烟把小兽从洞里熏出来。

不过只要它一跳出来，就再也逃不掉了：莱卡狗不会放过它，会把它咬死。

不然，猎人也会瞄准了，开枪打死它。

猎貂

捕猎林中的貂难度很大。发现它觅食小兽或鸟类的地方是不成问题的。这里的雪被践踏过了，还留有血迹。可是寻找它饱餐以后的藏身之所，就需要一双十分敏锐的眼睛了。

貂在空中逃遁：从这根树枝跳上那根树枝，从这棵树跳向那棵树，就如松鼠一样。不过它依然在下面留下了痕迹：折断的树枝，兽毛，球果，针叶，被爪子抓落的小块树皮，都会从树上掉落到雪地里。有经验的猎人根据这些痕迹就能判断貂在空中的行走路线。这条路往往很长——有几千米。应当十分留神，一次也不能偏离了踪迹，才能根据坠落物寻找到貂的行踪。

当塞索伊 · 塞索伊奇第一次找到貂的踪迹时，他没有带狗，只好自己跟随踪迹去找寻貂的去向。

他乘着滑雪板走了很久。有时胸有成竹地快速走过一二十米——那是在野兽下到雪地里，在雪上留下脚印的地方；有时慢慢腾腾地向前移动，警觉地察看空中旅行者留在路上的依稀可见的标记。那一天，他无时不在叹息没有把自己忠诚的朋友莱卡狗带上。

塞索伊 · 塞索伊奇在森林里一直找到夜暮降临。

小个儿的大胡子烧起了一堆篝火，从怀里掏出一大片面包，放在嘴里嚼着，然后好歹睡过了一个长长的冬夜。

早晨，貂的痕迹把猎人引向了一棵粗壮干枯的云杉。这可是成功的机会：塞索伊 · 塞索伊奇在云杉树干上发现了一个树洞，野兽应当在此过夜，

而且肯定还没有出来。

猎人扳起了扳机，用右手拿住枪，左手举起一根树枝，在云杉树干上敲了一下。他敲了一下就把树枝扔了，用双手端起了猎枪，以便貂一跳出来就能立马开枪。

貂没有跳出来。塞索伊·塞索伊奇又捡起树枝，更使劲地敲了一下树干，接着又重重地敲了一下。貂还是没有出现。

“唉，在睡大觉呢！”猎人沮丧地自忖道，“醒醒吧，瞌睡虫！”

但是不管他怎么敲，只有敲打声在林子里回响。

原来貂不在树洞里。

这时，塞索伊·塞索伊奇才想到要围着云杉看个究竟。

这棵树里面都空了，树干的另一面还有一个出口，在一根枯枝的下方。枯枝上的积雪已经掉落，说明貂从云杉树干的这一面出了树洞，溜到了邻近的树上，凭借粗壮的树干躲开了猎人的视线。

没办法，塞索伊·塞索伊奇只好继续去追赶这头野兽。

猎人在在依稀可见的踪迹布下的迷局里又浪费了一整天的时间。

天已经暗下来，当时塞索伊·塞索伊奇碰到的一个痕迹明确地表明，野兽并不比自己的追捕者高明多少。猎人找到了一个松鼠窝，貂从这里把松鼠赶了出来。显然，凶猛的小兽曾长久追赶自己的牺牲品，最终在地面上追上了它：筋疲力尽的松鼠在跳跃时，一不小心从树枝上摔落下去，这时貂便连跳了几大步赶上了它，就在这块雪地里享用了午餐。

确实，塞索伊·塞索伊奇跟踪的痕迹是正确的。但是他已无力继续追踪野兽了：从昨天到现在他什么也没有吃过，身上连一丁点儿面包也没有了，而现在逼人的寒气又降临了。再在林子里过一夜非冻死不可。

塞索伊·塞索伊奇极其懊丧地骂了一句，开始沿自己的足迹往回走。

“要是追上这鬼东西，”他暗自想道，“要做的就一件事——把一次装的

弹药全打出去。”

塞索伊·塞索伊奇窝着一肚子火从肩膀上卸下猎枪，当他再次经过松鼠窝时，瞄也不瞄，对着它开了一枪。他这样做只是为了发泄心头的怒火。

树枝和苔藓从树上纷纷落下来，在此之前，一只在临死前的颤栗中扭动着身子的毛皮丰厚的林貂，落到了惊讶万分的塞索伊·塞索伊奇的脚边。

后来塞索伊·塞索伊奇得知，这样的情况并不少见：貂捉住了松鼠，把它吃了，然后钻进被它吃掉的洞主温暖的的小窝里，蜷缩起身子，安安稳稳地睡起觉来。

黑夜和白昼

快到11月中旬时，松软的积雪已经齐膝深了。

在日落的时候，一群黑琴鸡停在落尽树叶的白桦树顶上，绯红的天幕映衬出它们黑色的身影。接着，它们一只接一只地飞到下面，钻进雪地里，就不见了踪影。

夜幕降临了，没有月光，要多黑有多黑。

在黑琴鸡消失的林间空地上，出现了塞索伊·塞索伊奇的身影。他手里有一张网和一个火把。浸了松脂的麻絮烧得旺旺的，于是黑暗就如幕布一样向两旁退去了。

塞索伊·塞索伊奇警觉地向前走着。

突然，在他前面两步远的地方从雪地里窜出一只黑琴鸡。明亮的火光使黑琴鸡看不见东西，它像一只巨大的甲虫那样在原地无助地打着转转。猎人利索地用网扣住了它。

塞索伊·塞索伊奇就用这种办法在夜里活捉黑琴鸡。

但是在白天，他却在大路上乘着雪橇向它们开枪。

这就叫人纳闷了：停在树梢上的鸟群无论如何也不会让徒步的人走近去开枪射击；可是这个猎人如果坐在雪橇上，即使带着农庄的整个车队驶过，同样的这些黑琴鸡却不会想到从他身边逃命！

■ 本报特派记者

射 靶

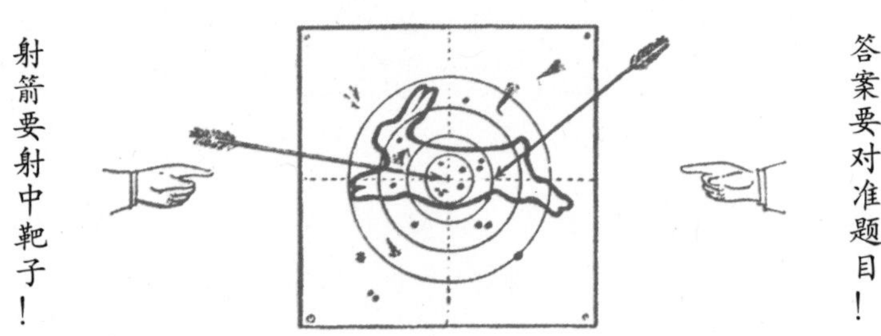

竞赛九

1.虾在哪里过冬？

2.对鸟类来说什么更可怕——是寒冷还是饥饿？

3.如果兔子身上的毛色变白变得比较晚，那么这年的冬季来得早还是晚？

4.“啄木鸟的打铁铺”是怎么回事？

5.在我们这儿，什么样的夜间猛禽只在冬季出现？

6.“兔子的花招”是怎么回事？

7.冬秋两季，乌鸦在哪里睡觉？

8.最后一批海鸥和野鸭什么时候飞离我们这儿？

9.秋冬两季，啄木鸟和哪些鸟结成伙伴？

10.善于辨认足迹的人称什么为“爪迹”？

11.猫的眼睛在白天和夜里是否相同？

12.善于辨认足迹的人称什么为“双重足迹”？

13.善于辨认足迹的人称什么为“兔迹”？

14.什么野兽到冬季除了尾巴尖儿，全身都变白了？

15.这里画有食草兽和食肉兽的头骨。如何根据牙齿将它们区分开？

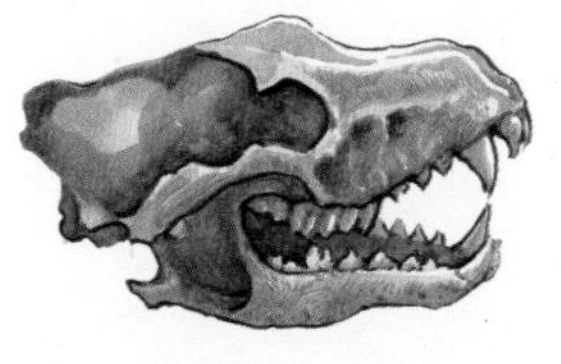

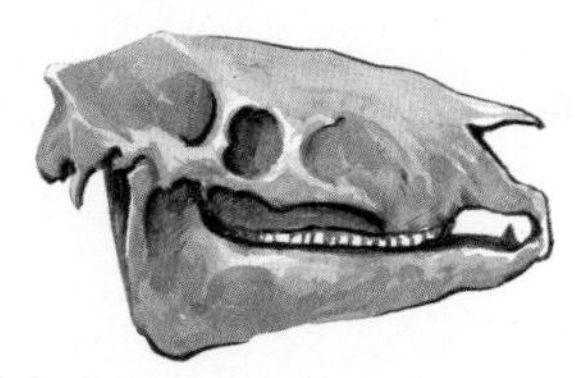

16.无手无脚能敲门，只为能把屋来进。（谜语）

17.一样东西地上躺，两盏灯儿闪闪亮，四根棍子分开放。（谜语）

18.我自海水来，就怕入大海。（谜语）

19.比炭还黑，比雪还白，比房还高，比草还低。（谜语）

20.走着一个汉子，穿着一双靴子，肩上的袋子越重越乐意。（谜语）

21.院子里立着草垛，前面有大草叉，后面是大扫把。（谜语）

22.走在地上，望不到天上，身上不痛，老爱哼哼。（谜语）

23.既无窗也无门，房里挤满了人。（谜语）

24.长一长，高一截，从叶丛里爬出来；放在掌心能打滚，放在齿间能啃。（谜语）

公告

测试八

“火眼金睛”称号竞赛

谁做了什么？

图 1　　　　图 2

图 1，这是什么动物的足迹？

图 2，这里的屋顶上曾有动物在原地打转。这是什么动物？它为什么这样做？

图 3

雪地里的小圆窝是什么？谁在这儿过夜了？留下的脚印和羽毛是哪种动物的？

图 4

这里发生了什么？为什么有这么多蹄印？树杈上留下的角是什么动物的？

请设立供鸟类就餐的免费食堂

可以直接在窗外用绳子悬挂一块木板，上面撒上饲料：面包屑，干燥的蚂蚁卵，面粉蛀虫，蟑螂，煮老的鸡蛋和凝乳碎屑，大麻子，花楸浆果，红莓苔子，荚蒾黍，燕麦，刺实。不过更好的办法是将一个有饲料的瓶子固定在树干上，下面放一块木板。

还有更好的办法：在花园里放置一个名副其实的带屋顶的饲料台，以免雪撒在上面。

帮助挨饿的鸟类

记住：我们小小的朋友——鸟类正面临艰难的时刻，饥饿的时刻，凶险的时刻。别等待春天的来临，现在就来为它们建造舒适、温暖的小屋吧——把圆木挖空做成的小桶、人造椋鸟屋或小窝棚。这样它们在毁灭性的恶劣天气里就有了避难所。为了躲避寒冷的风雪，许多鸟紧紧地挤在一起，向人类靠近，躲到屋檐下、门口台阶下过夜，有一只小小的鹪鹩甚至躲进了钉在村中柱子上的邮箱里过夜。

请在椋鸟窝和圆木小桶里（参见第一、第二期公告）放上绒毛、羽毛、碎布，这样鸟儿们就有了暖和的羽绒褥子和被子了。

“射靶”答案

请检查你的答案是否中靶

竞赛七

1.自9月21日——秋分日起。

2.雌兔。晚生的兔崽因此被称为“秋兔”[①]。

3.花楸、山杨、槭树。

4.并非都是如此。有些离开我们这儿向东飞（飞越乌拉尔山脉），如小鸣禽靴篱莺、朱雀、瓣蹼鹬。

5.“杈角兽”一词源自上头有杈的“粗木杆子”一词，老驼鹿的角与此相似，所以这么叫。

6.兔子和狍子。

7.雄黑琴鸡。这两句话在俄语中的发音是模拟公黑琴鸡的叫声的。它在春秋两季求偶时发出类似唠叨的叫声。

8.生活在地面的鸟类的脚善于行走：脚趾分得很开。这样的鸟行走时两脚按次序行动，故脚印落在同一条线上；生活在树上的鸟类的脚善于在树枝上停栖，故脚趾收紧。这样的鸟不行走，而是双脚同时跳跃，所以脚印成两行。

9.对着鸟飞走的方向打更准：追上鸟儿的霰弹能打进羽毛里。而正对鸟飞来的方向射击时，霰弹可能从紧密的羽毛上滑过，伤不了它。

10.这表明森林里的这个地方有动物尸体或受伤的动物。

11.因为在森林里的同一地点，明年母鸟将孵育小鸟。射猎母鸟，其他野禽就会搬走。

12.蝙蝠。它长长的脚趾连着皮膜。

---

① 该词的字面意思是“落叶兔”。

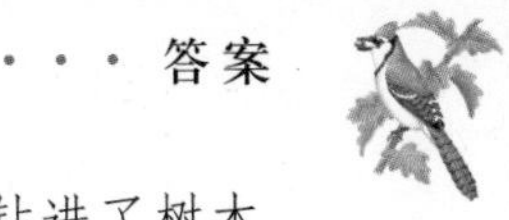

13.随着初寒的降临，它们中的大部分都死去了。有一些钻进了树木、篱笆、房屋的缝隙中或树皮下面，就在那里越冬。

14.面向日落方向，即西方——对着晚霞能较清楚地看见飞经的野鸭。

15.当猎人没打中它时。

16.秋播作物：今年播种，明年收获。

17.毛脚燕。

18.树叶。

19.下雨。

20.狼。

21.麻雀。

22.白蘑。

23.夏天——桑悬钩子；秋季——榛子。

24.稻草人。

竞赛八

1.向山上跑容易。兔子的前腿短，后腿长，所以兔子向山上跑方便。在陡直的山坡上下山时它会头朝下摔跟头滚下来。

2.在落尽叶子的树上能清楚地看见夏季在茂密的树叶中隐藏得很好的鸟巢。

3.松鼠。它把蘑菇插到树枝上，冬季没有食物时就找这些蘑菇吃。

4.水鼩。

5.很少有鸟这样做。猫头鹰为自己收集死鼠藏在树洞内，松鸦把橡子、核桃等坚果藏起来。

6.把所有通往蚁穴的进出口堵住，然后聚在一起过冬。

7.空气。

8.黄的或棕红色的——接近发黄的植物（灌木、树木、草）的颜色。

9.秋季，因为秋季鸟长得很肥，厚厚的脂肪层和紧密的羽毛能保护它免受霰弹的射击。

10.蝴蝶的（通过放大镜看到的）。

11.昆虫有6只脚。蜘蛛有8只脚，所以不是昆虫。

12.下到水底，钻进石头下、泥坑、淤泥或苔藓下，它们还经常钻进地窖里。

13.每一种鸟的脚都和它的生活条件相适应。在地面生活的鸟，它的脚适应在地面行走的生活方式：脚趾长长的，张得很开，脚跖比较高；在树上生活的鸟，它的脚适合在树枝上停栖：脚趾彼此靠得很近，弯曲而且有较强的攀缘能力，腿也较短；生活在水中的鸟，它的脚适合泅水，对鸟起桨的作用：鸭子的脚趾用蹼膜连成一片，凤头鸊鷉的脚趾上有硬瓣膜，帮助它划水。

14.是鼹鼠的脚。它的爪子适合掘土，就如鱼鳍适合划水一样。

15.猫头鹰竖起的双耳就是两撮羽毛。它的耳朵就藏在这两撮毛下面。

16.从树上落下的叶子。

17.河水。水面上的泡沫。

18.葎草。

19.地平线。

20.未满4岁。

21.鹅，鸭子。

22.亚麻。

23.公鸡。

24.鱼。

竞赛九

1.在河流和湖泊沿岸的洞穴里。

2.对鸟类来说饥饿更可怕。比如野鸭、天鹅、海鸥，如果有食物，只要有的地方水面不结冰，它们常常留在我们这儿度过整个冬季。

3.晚冬。

4.“啄木鸟的打铁铺”是人们对特定树木和树桩的称呼——啄木鸟把球果塞进那里的缝隙，以便用喙啄开它。在这种“打铁铺”下方的地面上，往往有一大堆被啄木鸟啄碎的球果。

5.北极雪鸮。

6.指兔子从自己的足迹上跳往旁边。

7.在花园、丛林里和树上，从傍晚开始便有大群大群的鸟飞集这里。

8.当最后的湖泊、池塘和河流都封冻时。

9.在秋季（和整个冬季），啄木鸟常加入山雀、旋木雀、䴓的群体。

10.野兽的爪子从雪地里拔出时会从雪窝里带出少量的雪，并在雪上留下爪痕，这些印记就叫“爪迹”。

11.不一样。白天，在阳光下，猫的瞳孔小；到了夜里，它的瞳孔变得很大。

12.兔子在上面来回走过两遍的足迹。

13.雪地里兔子的足迹。

14.白鼬。

15.食肉兽的颌骨从它大而明显突出的犬齿更容易认出来。食肉兽的犬齿是它用来撕咬肉的；食草动物的牙齿是用来扯断和磨碎植物的，它的犬齿不突出，但是食草动物有强有力的门牙。

16.风。

17.狗趴下睡觉时两眼睁着，炯炯有神，四腿伸开。

18.盐。

19.喜鹊。

20.带枪、身背猎物的猎人。

21.公牛。

22.猪。

23.黄瓜。

24.榛子。

"火眼金睛"称号竞赛答案

测试六

图1.野鸭光顾过这个池塘。注意沾着露水的苔草间和覆盖在水面的浮萍上的痕迹。这是野鸭游荡和泅水留下的痕迹:野鸭在苔草间游荡并游向池塘时留下了这些痕迹。

图2.十字形花纹是爪印,圆点是林中的鹬——丘鹬用长喙在软泥里啄出的小孔。这都是丘鹬在下雨时走到林间道上,在水洼泥泞的岸边觅食(蚯蚓、软体动物)时留下的。

图3.一只个头不高的野兽啃光了离地面较低的那段山杨树皮,这是兔子干的。兔子可不能啃食树上较高处的树皮,因为它够不到。这是个头很高的野兽——驼鹿吃的。它还折断并吃了一部分山杨树的细枝。

图4.这是狐狸的杰作。狐狸捕获刺猬后,把它咬死,并从没有针刺保护的腹部开始把它吃了,吃完后剩下了刺猬的整张皮。

测试七

图1.a) 这是交嘴鸟的杰作。它们把身子挂在树枝上,摘下球果,从中啄出几颗种子,就把球果扔了。

b) 在下面的地上,松鼠捡起了交嘴鸟抛弃而没有吃干净的球果。它跳上一个树墩,吃光球果的果实,它吃过后球果就只剩核了。

c) 林鼠加工榛子时,先是在上面用牙齿啃出一个小孔,再吃里面的果肉。松鼠则是连外壳带果肉一起吃的。

d) 松鼠在小树枝上晾蘑菇。它将蘑菇晾干是有先见之明的:当饥饿的季节来临时,它就有了储备的食物。

图2.这是啄木鸟干的。犹如医生给病人听诊，啄木鸟会叩击遭受害虫的幼虫侵害的树木。它跳跃着围着树干转，在上面叩击，用自己坚硬的尖嘴在上面凿出了一圈小孔。

图3.红额金翅雀。它很喜欢吃刺实植物的头状花序。

图4.这是熊干的好事。它用自己的脚爪撕下一条条云杉树皮，然后拖进自己的洞里做软褥子用，好让自己整个冬季睡得舒坦些。

图5.这是驼鹿干的好事。它在这儿已站了很久，你看地面被它践踏成什么样儿了！这儿四周都是它的食物：它掀翻一棵小山杨、赤杨或花楸树，作为自己的美餐。在大部分树上它啃食的是鲜嫩的梢头，而且被它吃掉的还没有被它折断的多。

测试八

图1.这是一条追踪雪兔的狗留下的脚印。兔子的足迹是大步跳跃式的，向着这行足迹斜着冲过来的是狗的足迹。

图2.这间板棚的屋顶上夜间停过一只灰林鸮。它停着，守候着：会不会有小家鼠或大老鼠出现？它久久地蹲着，踏着脚步，转动身子四下里张望，所以就留下了星星般的足迹。

图3.黑琴鸡曾在这儿的雪下面过夜。它们在自己雪下的房子里留下了痕迹和羽毛，从里面飞出时就在雪地里留下了一个个小圆窝。

图4.没发生什么特别的事，就是驼鹿在这儿待过。它正值换角的时节，所以它就在一个地方不停踏步，用双角在树枝上不断地蹭啊蹭。终于一只角被掰了下来，卡在了树枝上。春天到来前驼鹿会长出一对新角。

基特·维里坎诺夫讲的故事答案

在篝火边

关于加拉加兹鸭说得半对半错。那里确实有这么大的野鸭——克里米亚人把鹧鸪叫做“加拉加兹”，它在狐狸洞里孵小鸭。至于说它把这些猛兽杀死吃掉，那自然是无稽之谈！叶甫赛依爷爷最先看到的是狼吃剩的残渣。狼在狐狸洞口追上了狐狸，就把它撕碎吃了，而老人却认定是鸭子吃了它。判断正确也得1分。

而伊凡爷爷却丝毫没有添油加醋，一切都如他所说。这个叫维坚卡的男孩用枪声把我们这儿最小的鸟——戴菊鸟吓昏了。他砰的一枪，它就吓晕了。醒后来又高高兴兴的了。答对了得2分。

发生在熊身上的事也是常有的。就是人这样突然受惊也是极其有害的。虽说这里受惊的不是人，而是熊。不过反正不能这么吓唬人，不然他的心脏也会和野兽的一样破裂而导致身亡的。这条也占2分。

白山鹑……这种情况确实使人想到了闵希豪生男爵：他用枪通条当子弹向山鹑开了一枪，结果几乎打死了10只鸟。但是想想看：当时一窝山鹑紧紧地挨在一起，再加上伊凡爷爷打的是霰弹，而霰弹枪一次能装100多颗的药量，那么他这一枪的结果就一点也不奇怪了。这种情况完全可能。这一点占2分。

苍鹰的事是真实的。枪打中了苍鹰的背部，当它被打死掉下来以后，伊凡爷爷才发现自己不但猎获了猛禽，也得到了它的牺牲品。这点占2分。

少校打野鸡反而打到了丛林野猫这件事也不奇怪。你得

看清往哪儿开枪，要不也会偶而打死人。判断正确得2分。

伊凡爷爷的追踪犬的事，千真万确。道理很简单：猎狗在追踪野兽时就是有眼睛也看不见——它用鼻子寻找踪迹。老猎犬失去了视力，但依然保持着自己出色的嗅觉。它凭嗅觉知道前方是什么，所以不会撞到树木和树墩，它凭嗅觉还能追踪兔子。这点占2分。

至于追踪犬能对写着野禽名称的纸张做出伺伏动作，就没什么可解释的了——弥天大谎！竟然说狗能识字！判断对了得2分。

最后，伊凡爷爷正好在意想不到的地方犯了错，亲爱的读者，你们也许在这一点上赚不到分。

伊凡爷爷说叮人的蚊子“成双成对”。可你们知道吗，它们压根儿不是成双成对地出现，叮人的只有“女士”。

吸血的只是雌蚊。它们不吸够了血，就无法产卵。而雄蚊谁也不碰，它们只喝花蜜和植物的汁液。这点占2分。

这是其一。其二，伊凡爷爷说：“苍蝇知道自己日子不多了，所以变得那么坏，比蚊子咬得还凶。”许多人这样认为，说苍蝇临死前开始叮人。事实上这完全是指的另一种蝇类。那些普通的家蝇，颜色黑黑的，不叮人；而这里说的叮人的苍蝇是灰色的，吸针是直的。只要稍稍留意观察，就能一下子学会将它们分辨清楚。这点也占2分。

■ 基特·维里坎诺夫（真名：基特·马雷什金）

森林报